まちごとチャイナ
遼寧省006

はじめての瀋陽
「マンチュリア」最大の都市へ
［モノクロノートブック版］

遼寧省の省都である瀋陽は東北地方最大の都市で、中国でも有数の人口規模を誇る。この街は1644年の北京遷都以前に清朝の都がおかれていた故地として知られ、瀋陽故宮とふたつの皇帝墓陵が世界遺産に指定されている。

こうしたところから清代には北京に準ずる格式をもち、「盛京」「奉天府」といった名前で呼ばれていた。また

1904～05年の日露戦争以後、日本が満州に進出すると奉天の名前で親しまれ、1931年、瀋陽郊外の柳条湖で満州事変が勃発するなど日本と深い関係をもっている。

現在、瀋陽を中心に製鉄の鞍山、石炭の撫順など原材料を豊富に供給する遼寧中部都市群は、中国有数の重工業地帯として瀋陽経済圏を形成している。

沈阳
SHENYANG
作出积极贡献
施工重地
行人禁入

まちごとチャイナ　遼寧省 006

はじめての瀋陽

「マンチュリア」最大の都市へ

Asia City Guide Production
Liaoning 006

Shenyang

沈阳／shěn yáng／シェンヤン

「アジア城市（まち）案内」制作委員会
まちごとパブリッシング

まちごとチャイナ
遼寧省 006
はじめての瀋陽

Contents

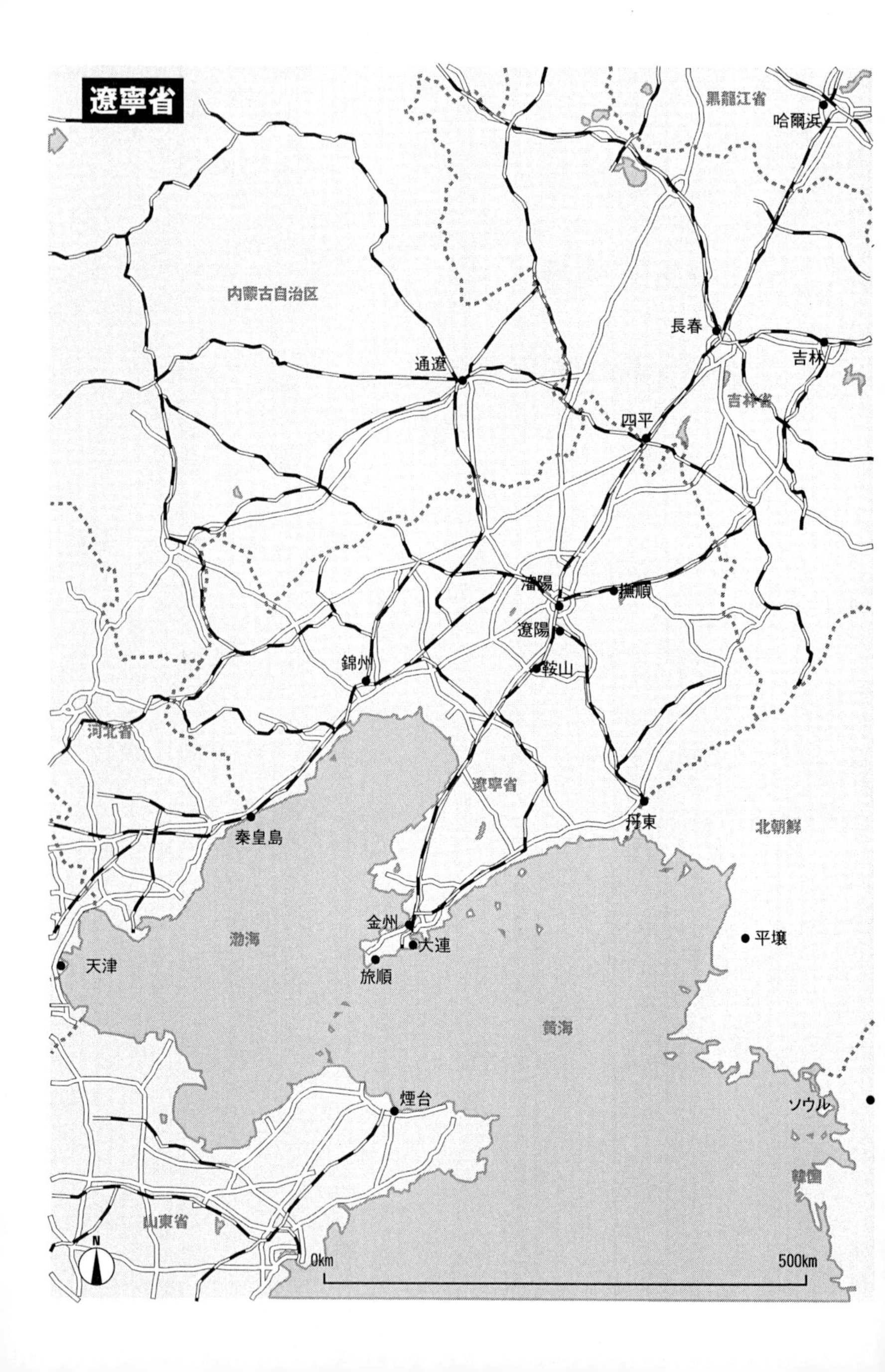
遼寧省
黒龍江省
哈爾浜
内蒙古自治区
長春
吉林
吉林省
通遼
四平
瀋陽
撫順
遼陽
鞍山
錦州
河北省
遼寧省
丹東
北朝鮮
秦皇島
金州
大連
旅順
平壌
天津
渤海
黄海
煙台
ソウル
韓国
山東省
N
0km
500km

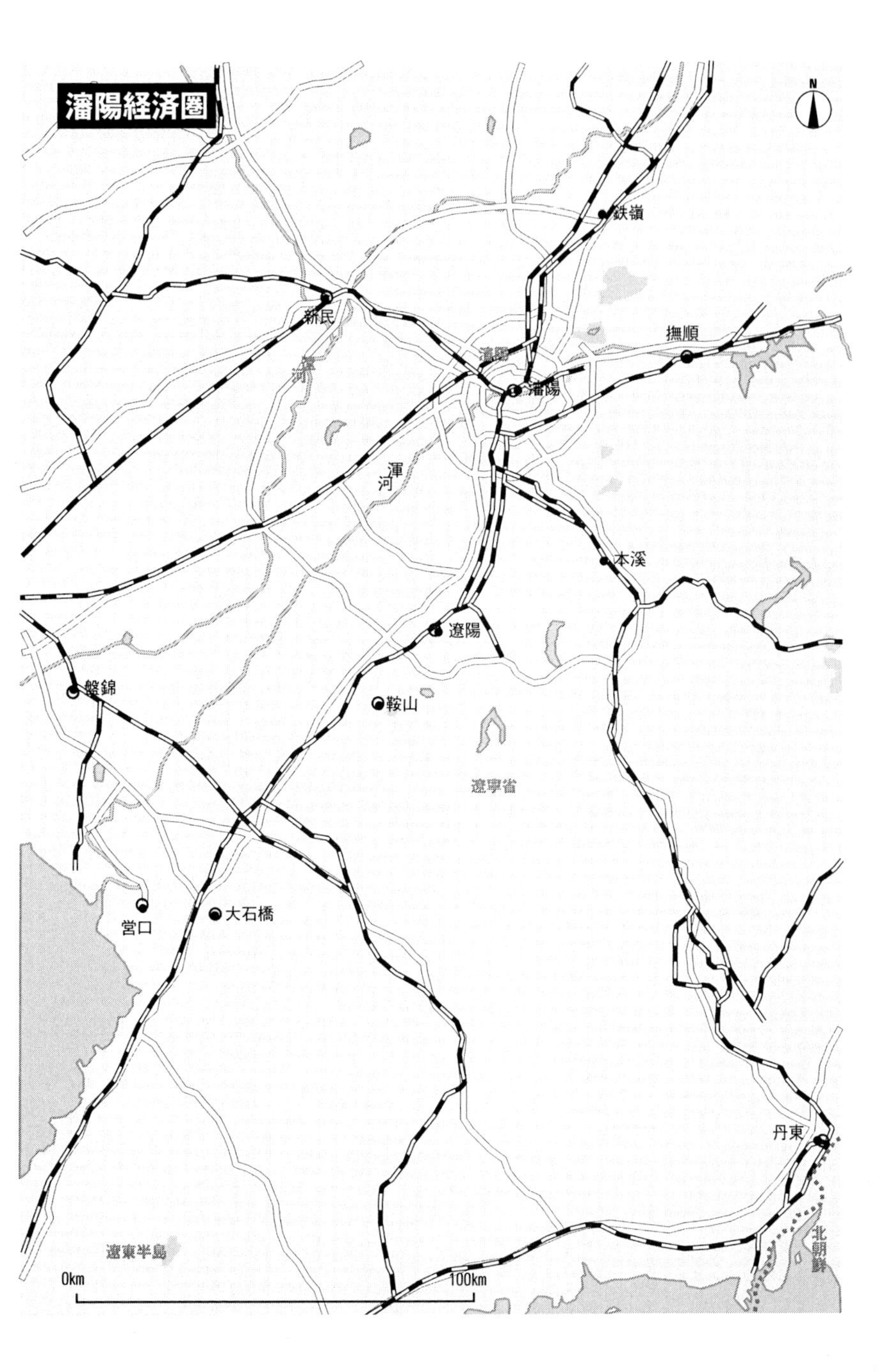
瀋陽経済圏
N
鉄嶺
新民
撫順
瀋陽
渾
河
本溪
遼陽
盤錦
鞍山
遼寧省
営口
大石橋
丹東
北朝鮮
遼東半島
0km
100km

Introduction
清朝古都から経済都市へ

かつて満州と呼ばれていた東北三省
瀋陽はそのなかで最大の人口を誇り
政治、文化、経済の中心地となっている

東北最大の都市

港湾都市の大連に対して、瀋陽は大連から370㎞内陸に位置し、戦前から重工業が発達した遼寧省の中心地として知られている。この街から鉄道が放射状に伸び、首都北京や北朝鮮に隣接する丹東、吉林省などの内陸へと続いている。1949年の中華人民共和国成立以後、計画経済のもと中国全体を牽引していたが、やがて改革開放に遅れて20世紀末には地位を低下させていた。こうしたなか、21世紀に入って次々と開発区が整備され、珠江デルタ、長江デルタ、環渤海湾経済圏に続く瀋陽経済圏が注目されている。

清朝発祥の地

現在に続く瀋陽の地位が確立されたのは、1625年に清の太祖ヌルハチが都に定めてからで、以後、北京遷都まで清朝の都がおかれていた（ヌルハチは瀋陽東部の新賓満族自治県で生まれた）。そのため街には北京とならんで故宮や正方形の街区が残り、王朝文化を今に伝える貴重な街となっている。清代、この街は「ムクデン（盛んなる都）」「奉天（天帝の命を奉ずる都）」といった名前で呼ばれ、康熙帝や乾隆帝といった歴代皇帝はたびたび北京から東巡した。こうした街の発展は清朝滅亡

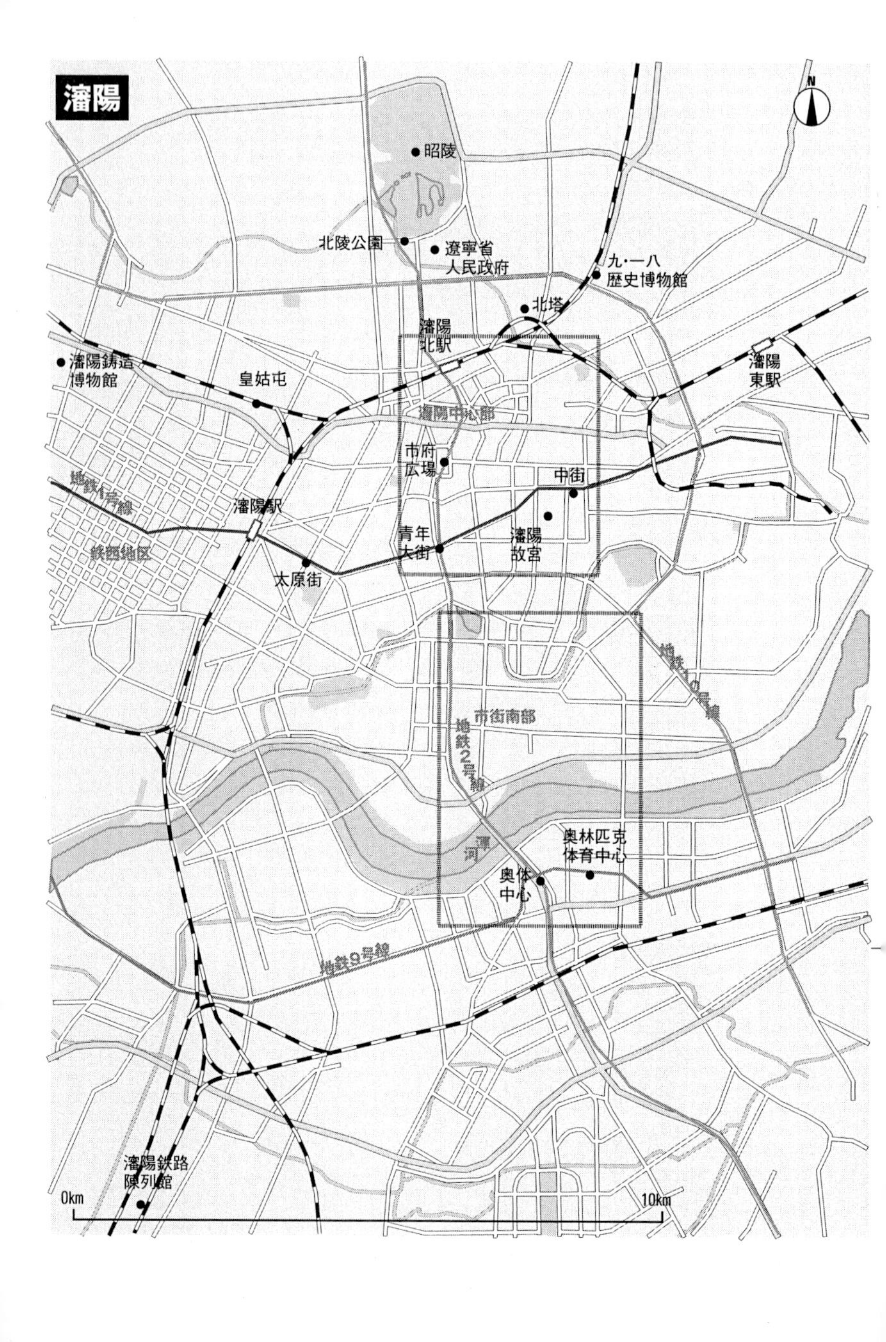
瀋陽
昭陵
北陵公園
遼寧省
人民政府
九・一八
歴史博物館
北塔
瀋陽
北駅
瀋陽鋳造
博物館
皇姑屯
瀋陽
東駅
瀋陽中心部
市府
広場
中街
地鉄1号線
瀋陽駅
青年
大街
瀋陽
故宮
鉄西地区
太原街
地鉄10号線
市街南部
地鉄2号線
渾河
奥林匹克
体育中心
奥体
中心
地鉄9号線
瀋陽鉄路
陳列館
0km
10km

後、20世紀初頭の軍閥張作霖、日本の満洲国時代も受け継がれた。

街の構造瀋陽の都市空間

瀋陽は故宮を中心とする清朝以来の旧市街(旧奉天城)と、瀋陽(南)駅の東側に広がる旧満鉄付属地、両者のあいだに20世紀初頭につくられた旧商埠地を中心とする。そこから1920年代に軍閥張作霖によって瀋陽駅北側の地域が開発され、また瀋陽(南)駅の西側は1930年代に満州国のもと開発が進んだ。清朝第2代皇帝ホンタイジの廟は、もともと北郊外に位置したが、満州事変の発端となった柳条湖とともに今では市街と一体化している。また21世紀に入って、こうした瀋陽市街をとり囲むように、東西南北に棋盤山風景区、瀋西工業回廊、渾南新区、瀋北新区といった新たな区域の開発が進んでいる。

★★★
瀋陽故宮博物院／沈阳故宫博物院 グゥウゴォンボォウゥユゥエン
昭陵(北陵)／昭陵 チャオリン
九・一八歴史博物館／九一八历史博物馆 ジュウイィバァリィシイボォウゥグァン

★★☆
中街／中街 チョンジエ
瀋陽(南)駅／沈阳南站 シェンヤンナンチャン

★☆☆
市府広場／市府广场 シイフウガァンチャン
太原街／太原街 タイユゥエンジエ
鉄西地区／铁西区 ティエシィチュウ
市街南部／城市南方 チャンシィナンファン
瀋陽鉄路陳列館／沈阳铁路蒸汽机车陈列馆 シェンヤンティエルゥチェンチイジィチャァチェンリエグァン

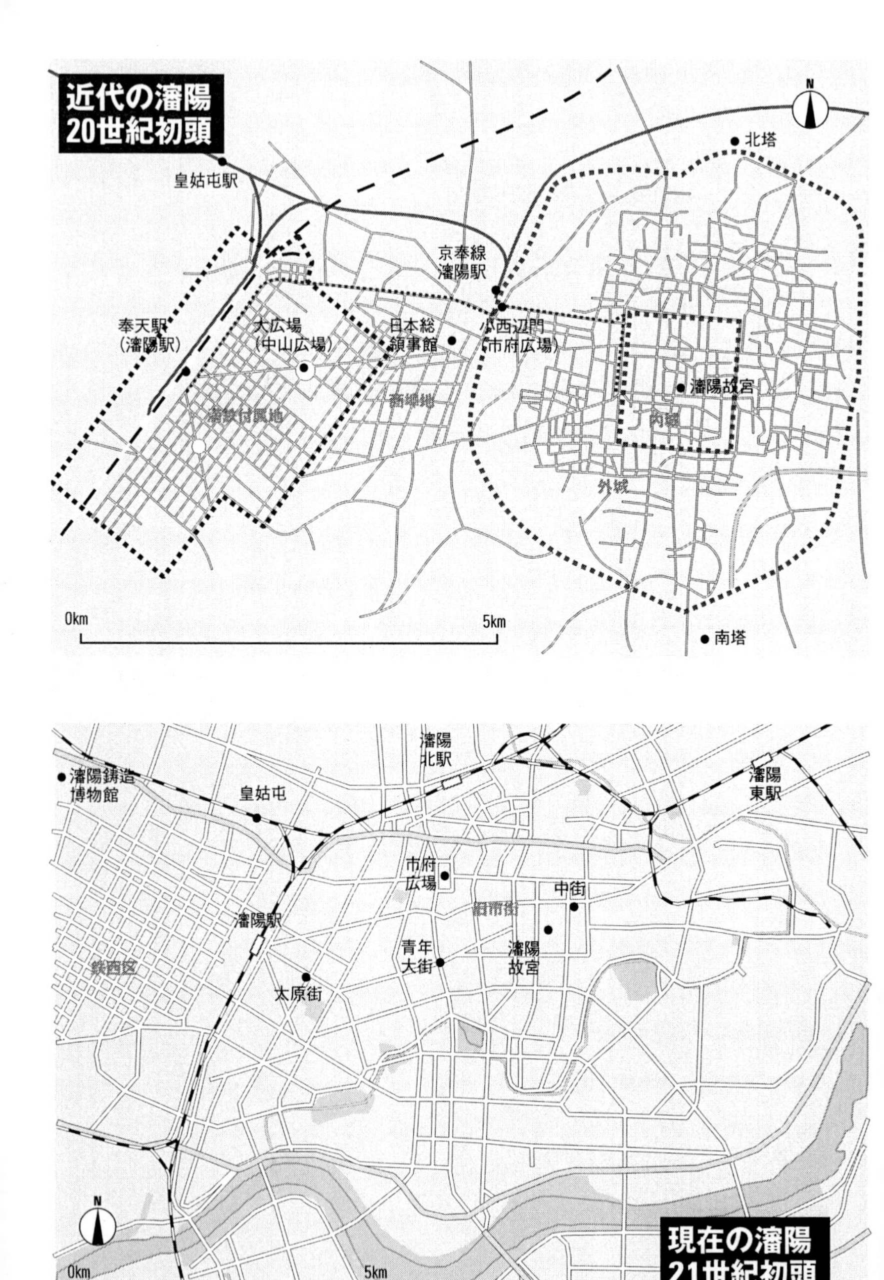
近代の瀋陽
20世紀初頭
N
北塔
皇姑屯駅
京奉線
瀋陽駅
奉天駅
（瀋陽駅）
大広場
（中山広場）
日本総
領事館
小西辺門
（市府広場）
瀋陽故宮
満鉄付属地
商埠地
内城
外城
0km
5km
南塔
瀋陽
北駅
瀋陽鋳造
博物館
皇姑屯
瀋陽
東駅
市府
広場
中街
瀋陽駅
青年
大街
瀋陽
故宮
太原街
鉄西区
N
0km
5km
現在の瀋陽
21世紀初頭

旧商埠地に立つ旧奉天郵務管理局、近代建築も多く残る

皇帝ホンタイジの眠る北陵、黄色の瑠璃瓦が映える

瀋陽は遼寧省の省都、瀋陽北駅前の様子

市府広場周辺には巨大公共施設がならぶ

Lao Shen Yang

旧市街城市案内

清代、瀋陽の街は故宮を中心に
正方形の内城、その外側に楕円形の外城がおかれていた
外城の西門にあたる小西辺門が今の市府広場にあたる

瀋陽故宮博物院／沈阳故宫博物院★★★

gù gōng bó wù yuàn

しんようこきゅうはくぶついん／グゥウゴォンボォウゥユゥエン

故宮と呼ばれる場所は3つあり、ひとつは明清王朝の皇帝が暮らした北京の故宮博物院、ひとつは20世紀の国共内戦のさなか北京故宮の宝物をもち出し、それを展示した台湾の故宮博物院、最後のひとつが北京遷都以前の清朝が宮廷をおいた瀋陽の故宮博物院。瀋陽の故宮博物院は北京のそれとくらべてこぢんまりとしていて、満州族や蒙古族といったこの地方独特の文化が色濃く残ることを特徴とする（北京故宮と違って、扁額には満州文字がより優位な左に、漢字が右に配されている）。1625年、瀋陽に都を定めた太祖ヌルハチによる東路、続くホンタイジによる中路、また北京遷都以後の第6代乾隆帝の時代に西路が整備された。

中路／中路★★☆

zhōng lù

ちゅうろ／チョンルゥ

瀋陽故宮の中核をなすのが中路で、正門にあたる大清門から、正殿の崇政殿、三層の華麗なたたずまいを見せる鳳凰楼、後宮にあたる清寧宮へと軸線上に建物がならぶ。こうした建物には、オンドル（床暖房）やシャーマニズムに通じる神

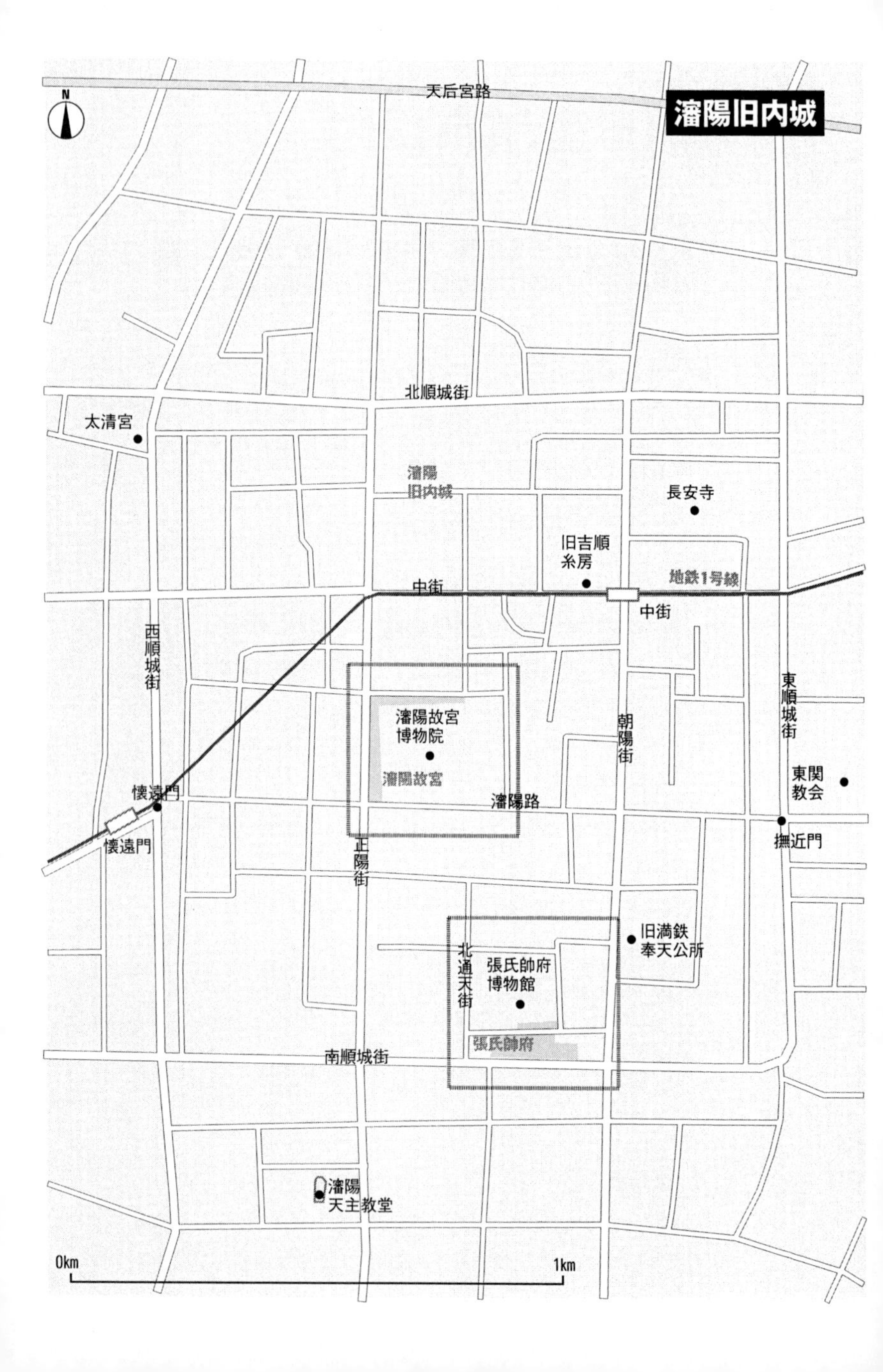
瀋陽旧内城
N
天后宮路
北順城街
太清宮
瀋陽
旧内城
長安寺
旧吉順
糸房
地鉄1号線
中街
中街
西順城街
東順城街
瀋陽故宮
博物院
瀋陽故宮
朝陽街
東関
教会
懐遠門
懐遠門
瀋陽路
撫近門
正陽街
旧満鉄
奉天公所
北通天街
張氏帥府
博物館
張氏帥府
南順城街
瀋陽
天主教堂
0km
1km

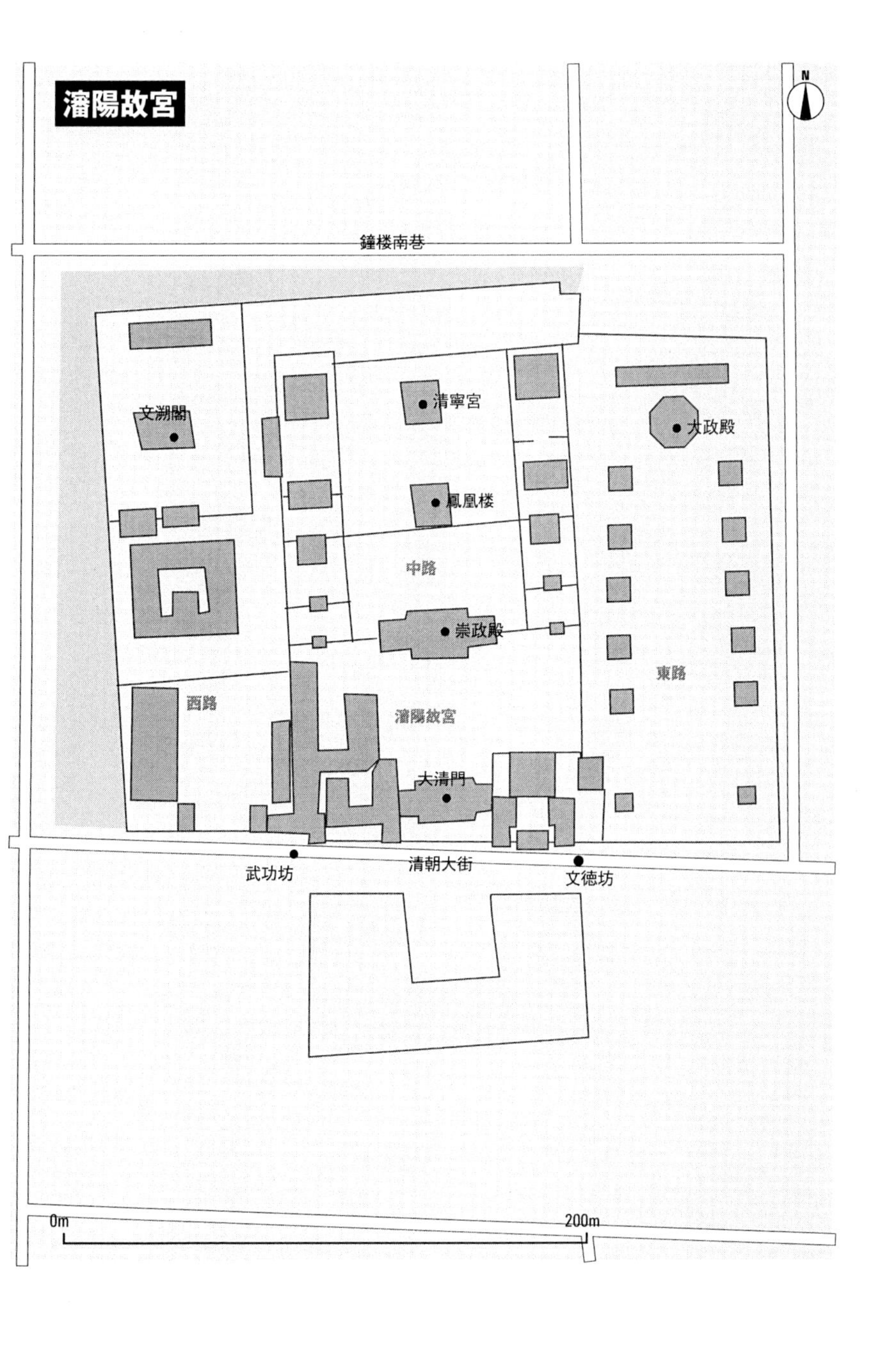

瀋陽故宮
N
鐘楼南巷
清寧宮
文溯閣
大政殿
鳳凰楼
中路
崇政殿
東路
西路
瀋陽故宮
大清門
武功坊
清朝大街
文徳坊
0m
200m

杵(鳥のとまり木)といった北方民族特有の様式を残している。ここで1636年、ホンタイジは満州族、モンゴル族、漢族に推挙され、皇帝に即位し、大清国を樹立した(ヌルハチ時代は後金だった)。この中路の前面は皇帝が政務をとり、各部族長や有力者などとも面会する場であった。

東路／东路★★☆

dōng lù

とうろ／ドンルゥ

瀋陽東路は撫順東の赫図阿拉城(ホトアラ城)から挙兵し、1619年、明の大軍をサルフの戦いで破ったヌルハチが1625年に拠点をおいたところ。遊牧民のテントのような八角形のプランをもつ大政殿の前に、ヌルハチの軍団(左右翼王と八旗)の十王亭がずらりとならぶ。ここは瀋陽故宮でもっとも古い部分で、狩猟民の要素が建物の構成に反映されているという。

西路／西路★☆☆

xī lù

せいろ／シィルゥ

西路は北京から祖先発祥の地に東巡してきた清朝第6代乾隆帝(18世紀)が整備させたところで、北京の故宮に近い様式をもつ。乾隆帝の時代に編纂された四庫全書の写本のひ

★★★

瀋陽故宮博物院／沈阳故宫博物院 グゥウゴォンボォウゥユゥエン

★★☆

中街／中街 チョンジエ

張氏帥府博物館／张氏帅府博物馆 チャンシィシュァイフゥボォウゥグァン

中路／中路 チョンルゥ

東路／东路 ドンルゥ

★☆☆

瀋陽天主教堂／沈阳天主教堂 シェンヤンティエンチュウジャオタン

太清宮／太清宫 タイチンゴン

西路／西路 シィルゥ

瀋陽故宮東路の大政殿

瀋陽故宮屈指の高さをもつ鳳凰楼

清朝を支えた軍団、八旗、それぞれの旗のもとに集う

中街は瀋陽随一の目抜き通り

瀋陽を代表するキリスト教会、瀋陽天主教堂

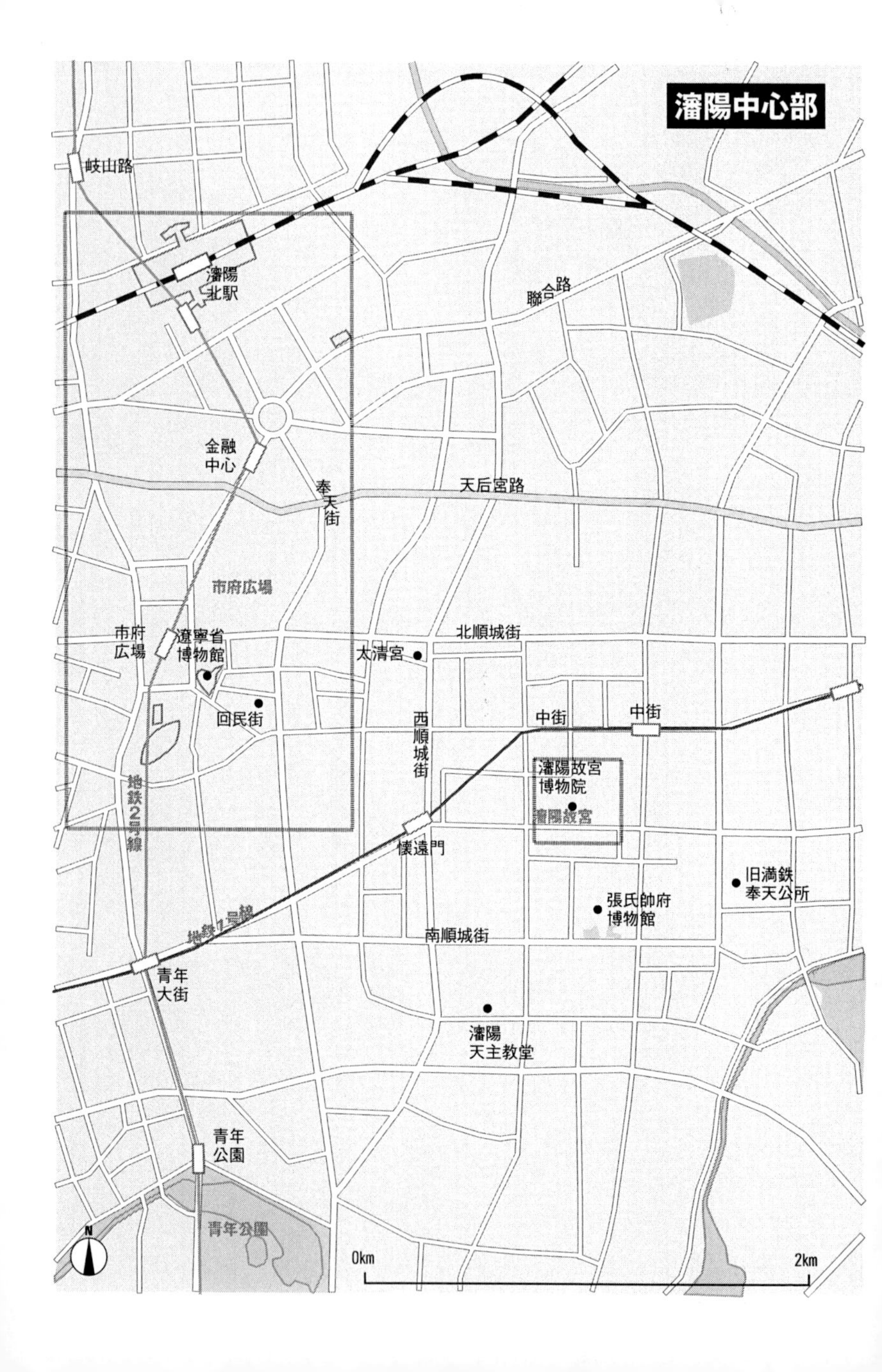
瀋陽中心部
岐山路
瀋陽
北駅
聯合路
金融
中心
奉天街
天后宮路
市府広場
市府
広場
遼寧省
博物館
太清宮
北順城街
回民街
西順城街
中街
中街
瀋陽故宮
博物院
瀋陽故宮
地鉄2号線
懐遠門
旧満鉄
奉天公所
張氏帥府
博物館
地鉄1号線
南順城街
青年
大街
瀋陽
天主教堂
青年
公園
青年公園
N
0km
2km

張氏帥府博物館

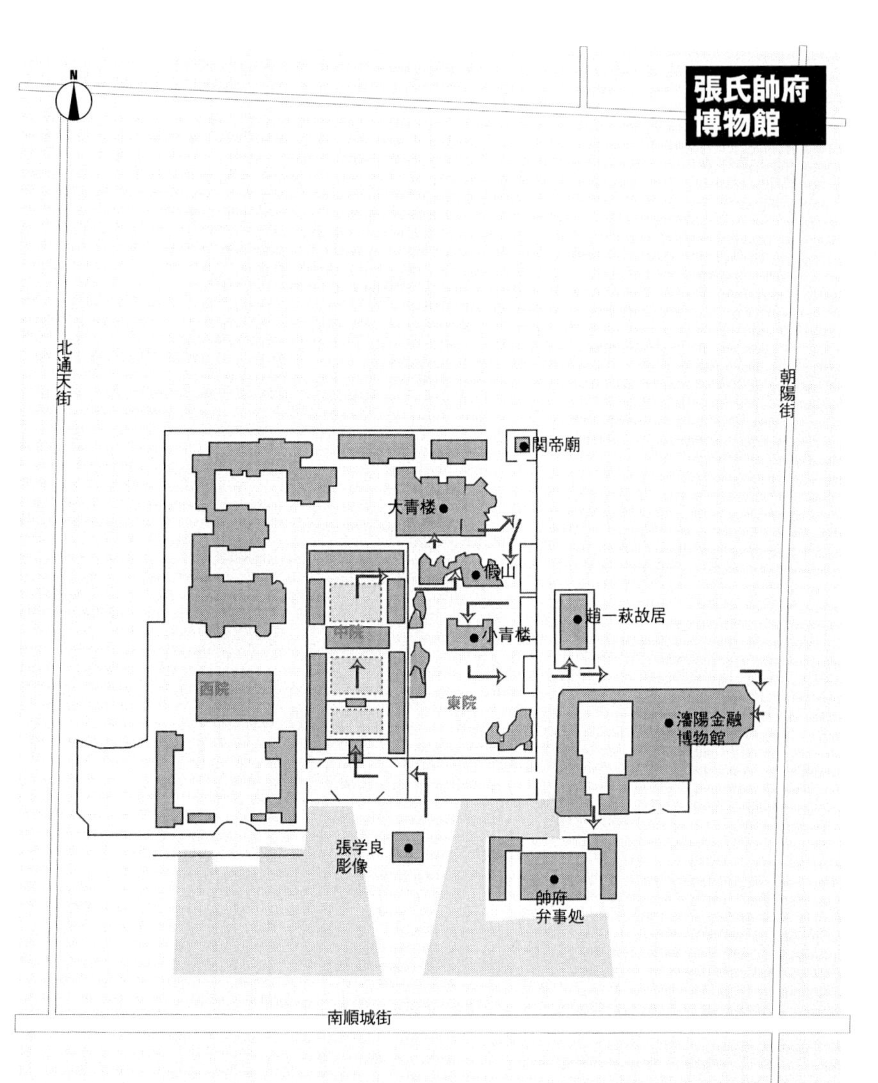

N
北通天街
朝陽街
関帝廟
大青楼
假山
趙一荻故居
小青楼
中院
西院
東院
瀋陽金融博物館
張学良彫像
帥府弁事処
南順城街
0m
200m

とつが文溯閣におかれていた。

中街／中街★★☆

zhōng jiē

ちゅうがい／チョンジエ

瀋陽随一のにぎわいを見せ、夜遅くまで多くの人が行き交う中街。1627年、瀋陽の旧市街が「井」の字型に整備されて以来の伝統をもち、また20世紀初頭に建てられた旧吉順糸房などの中華バロック(西欧風)建築も多く残る。

張氏帥府博物館／张氏帅府博物馆★★☆

zhāng shì shuài fǔ bó wù guǎn

ちょうしすいふはくぶつかん／チャンシィシュァイフゥボォウゥグァン

20世紀初頭、清朝に代わって東北三省の実権を握った奉天軍閥の邸宅がおかれていた張氏帥府博物館。馬賊を出身とする張作霖は日本の援助のもと奉天軍をひきいて勢力を広げ、1927年には北京に入城して大元帥を称した。1928年、蔣介石による北伐を受けて、瀋陽へひき返す途中、皇姑屯で日本軍に爆殺され、この張氏帥府に運び込まれたのち息絶えた。中国の伝統的な四合院の様式をもつ中院、中華バロックと呼ばれる3階建て西欧風建築の大青楼などからなり、現在は張作霖とその息子張学良にまつわる資料が展示されている。

★★★

瀋陽故宮博物院／沈阳故宫博物院 グゥウゴォンボォウゥユゥエン

★★☆

中街／中街 チョンジエ

張氏帥府博物館／张氏帅府博物馆 チャンシィシュァイフゥボォウゥグァン

遼寧省博物館／辽宁省博物馆 リャオニンシェンボォウゥグァン

★☆☆

瀋陽天主教堂／沈阳天主教堂 シェンヤンティエンチュウジャオタン

太清宮／太清宫 タイチンゴン

回民街／回民街 フイミンジエ

市府広場／市府广场 シイフウガァンチャン

大青楼は中華バロックの代表作、張氏帥府博物館にて

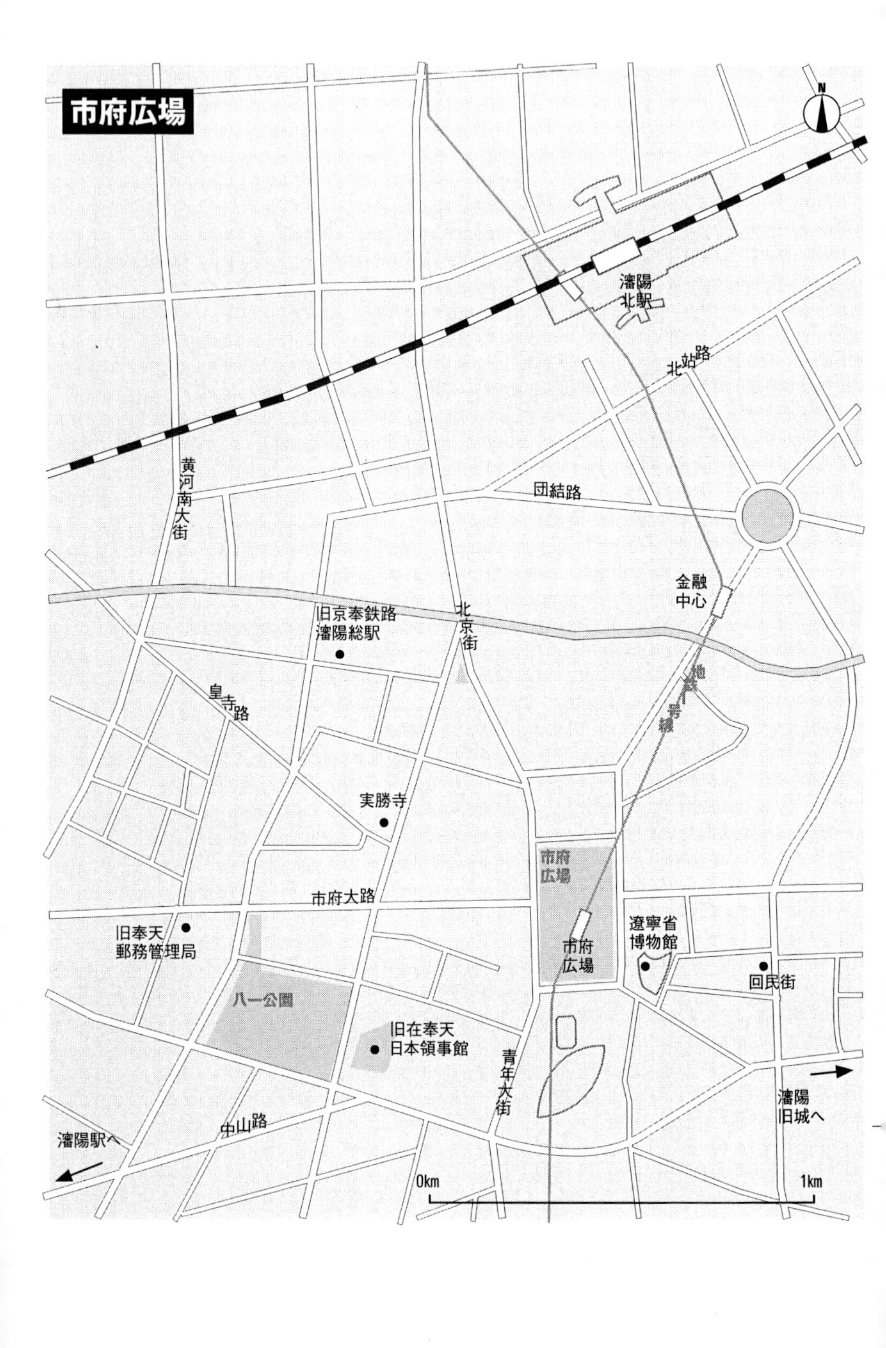

市府広場
N
瀋陽
北駅
北站路
黄
河
南
大
街
団結路
金融
中心
旧京奉鉄路
瀋陽総駅
北
京
街
皇寺路
実勝寺
市府
広場
市府大路
旧奉天
郵務管理局
遼寧省
博物館
市府
広場
回民街
八一公園
旧在奉天
日本領事館
青
年
大
街
中山路
瀋陽駅へ
瀋陽
旧城へ
0km
1km

瀋陽天主教堂／沈阳天主教堂★☆☆

shěn yáng tiān zhŭ jiāo táng

しんようてんしゅきょうどう／シェンヤンティエンチュウジャオタン

高さ40m、1000人が同時に礼拝できるという巨大な瀋陽天主教堂。この教会が旧内城の外側に位置するのは、内城に暮らす人々から西欧人を隔離する目的があったことにちなむ(1838年から瀋陽でもキリスト教の布教がはじまった)。

太清宮／太清宫★☆☆

tài qīng gōng

たいせいきゅう／タイチンゴン

清代の1663年に建立された道教寺院、太清宮。道教は儒教、仏教とならぶ中国三大宗教のひとつで、小規模ながら中国古来の様式で建物が配置されている。

回民街／回民街★☆☆

huí mín jiē

かいみんがい／フイミンジエ

イスラム教徒の回族が集住する回民街。集団礼拝が行なわれる清真南寺や回族料理をふるまう店舗が見られる。

遼寧省博物館／辽宁省博物馆★★☆

liáo níng shěng bó wù guăn

りょうねいしょうはくぶつかん／リャオニンシェンボォウゥグァン

貨幣、陶磁器、刺繍、彫刻、青銅器、渤海の遺物、明清代の玉器などが展示された遼寧省博物館。今から7200年前にさか

★★☆

遼寧省博物館／辽宁省博物馆 リャオニンシェンボォウゥグァン

★☆☆

回民街／回民街 フイミンジエ

市府広場／市府广场 シイフウガァンチャン

実勝寺／实胜寺 シィシェンスー

のぼる新楽遺跡（瀋陽）からの出土品、唐代の周昉之の美人画『簪花仕女図』、マテオ・リッチによる『両儀玄覧図』といった品が展示されている。

市府広場／市府广场★☆☆

shì fŭ guăng chăng

しふひろば／シイフウガァンチャン

瀋陽市街のちょうど中心にあたる市府広場。あたりには政府関係の建物、また国際会議場や文化センターなどの巨大建築がならぶ。

実勝寺／实胜寺★☆☆

shí shèng sì

じっしょうじ／シィシェンスー

実勝寺は1636年の清朝時代からの伝統をもつチベット仏教寺院。黄金の瑠璃瓦でふかれた屋根をもち、伽藍内部ではタルチョがはためく。

东北大

Xin Shen Yang

新市街城市案内

瀋陽の街は故宮のある旧市街から西へ拡大していった
日本の満鉄によって開発された瀋陽駅前の街区
また南運河から渾河のあいだは新市街となっている

瀋陽（南）駅／沈阳南站★★☆

shěn yáng nán zhàn

しんよう（みなみ）えき／シェンヤンナンチャン

東京駅を彷彿とさせる赤レンガの壁面をもつ瀋陽駅。1910年、日露戦争で鉄道とその周囲の付属地を受けついだ日本の満鉄によって建てられたもので、辰野式と呼ばれる当時流行した様式となっている（瀋陽駅が東京駅に似ているのに対し、大連駅は上野駅に似た外観をもつ）。

太原街／太原街★☆☆

tài yuán jiē

たいげんがい／タイユゥエンジエ

瀋陽駅前を南北に走る太原街は、この街の目抜き通り。日本統治時代に整備され、現在では大型店舗が軒を連ねている。

中山広場／中山广场★★☆

zhōng shān guǎng chǎng

ちゅうざんひろば／チョンシャングァンチャン

瀋陽駅から斜めに伸びる中山路の先に広がる円形の中山広場。迎賓館の役割を果たしていた旧ヤマトホテル、鉄道や炭鉱の開発のための資金を貸しつけた旧横浜正金銀行、日

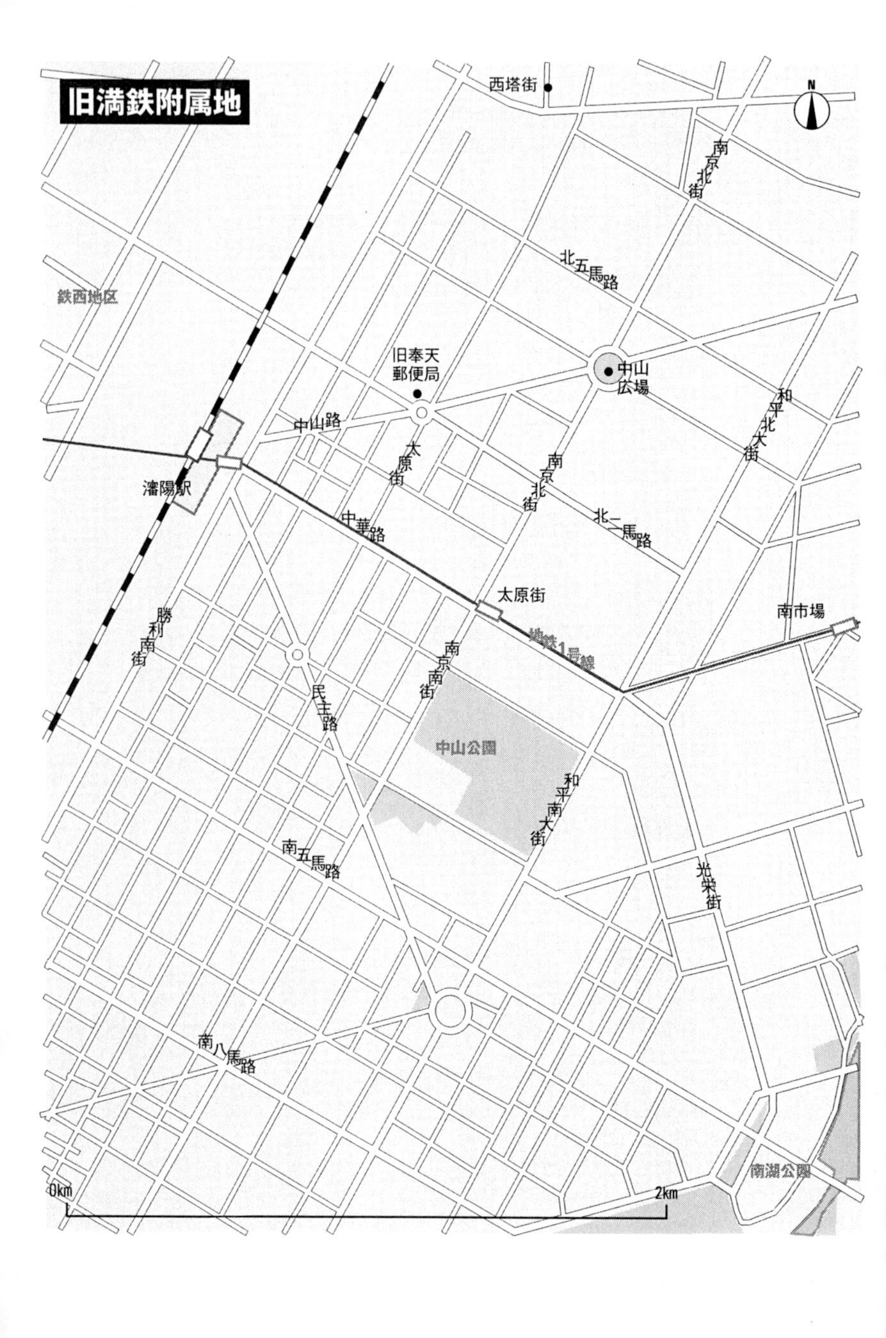

旧満鉄附属地
西塔街
南京北街
北五馬路
鉄西地区
旧奉天郵便局
中山広場
和平北大街
中山路
瀋陽駅
太原街
南京北街
中華路
北一馬路
太原街
南市場
勝利南街
地鉄1号線
南京南街
民主路
中山公園
和平南大街
南五馬路
光栄街
南八馬路
南湖公園
0km
2km

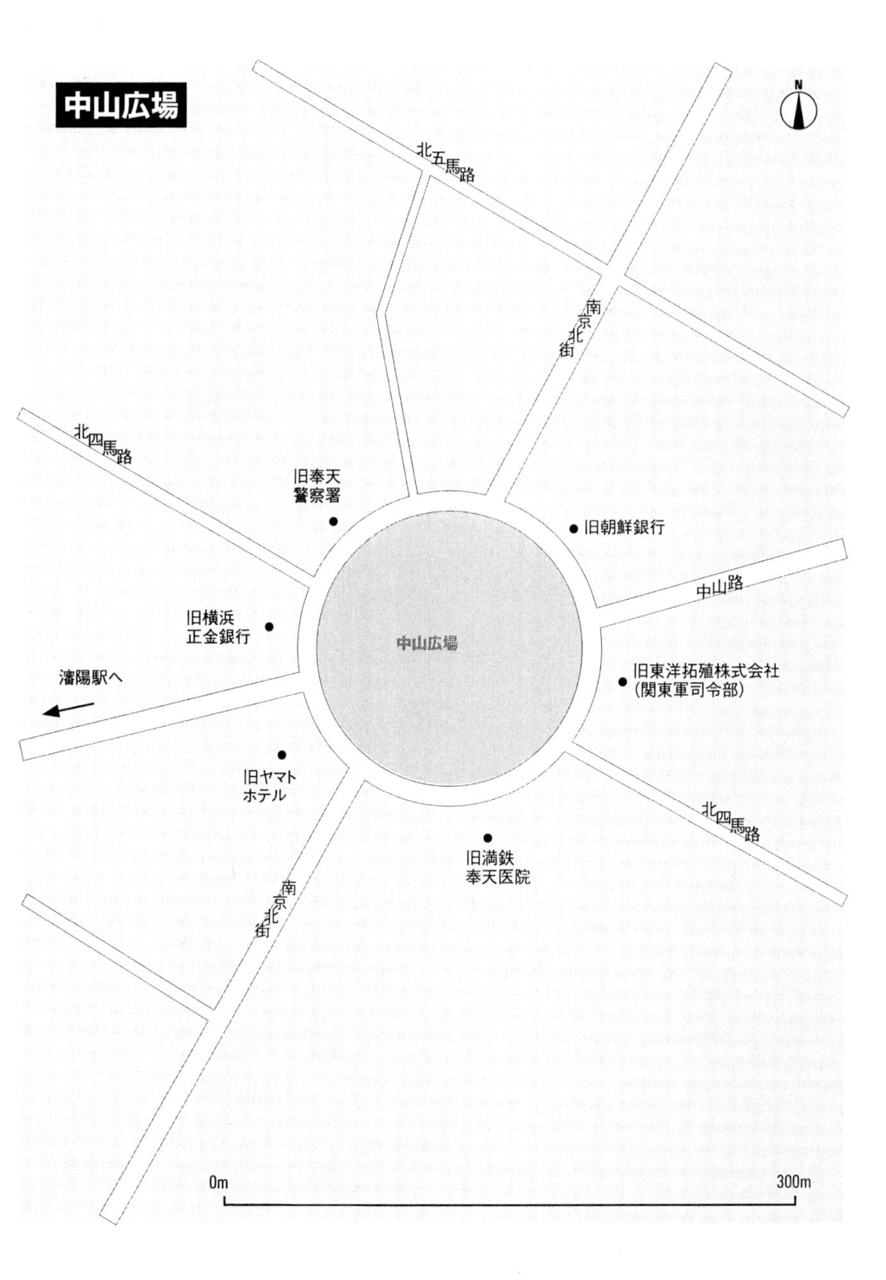
中山広場
北五馬路
南京北街
北四馬路
旧奉天
警察署
旧朝鮮銀行
中山路
旧横浜
正金銀行
中山広場
瀋陽駅へ
旧東洋拓殖株式会社
(関東軍司令部)
旧ヤマト
ホテル
北四馬路
旧満鉄
奉天医院
南京北街
0m
300m
N

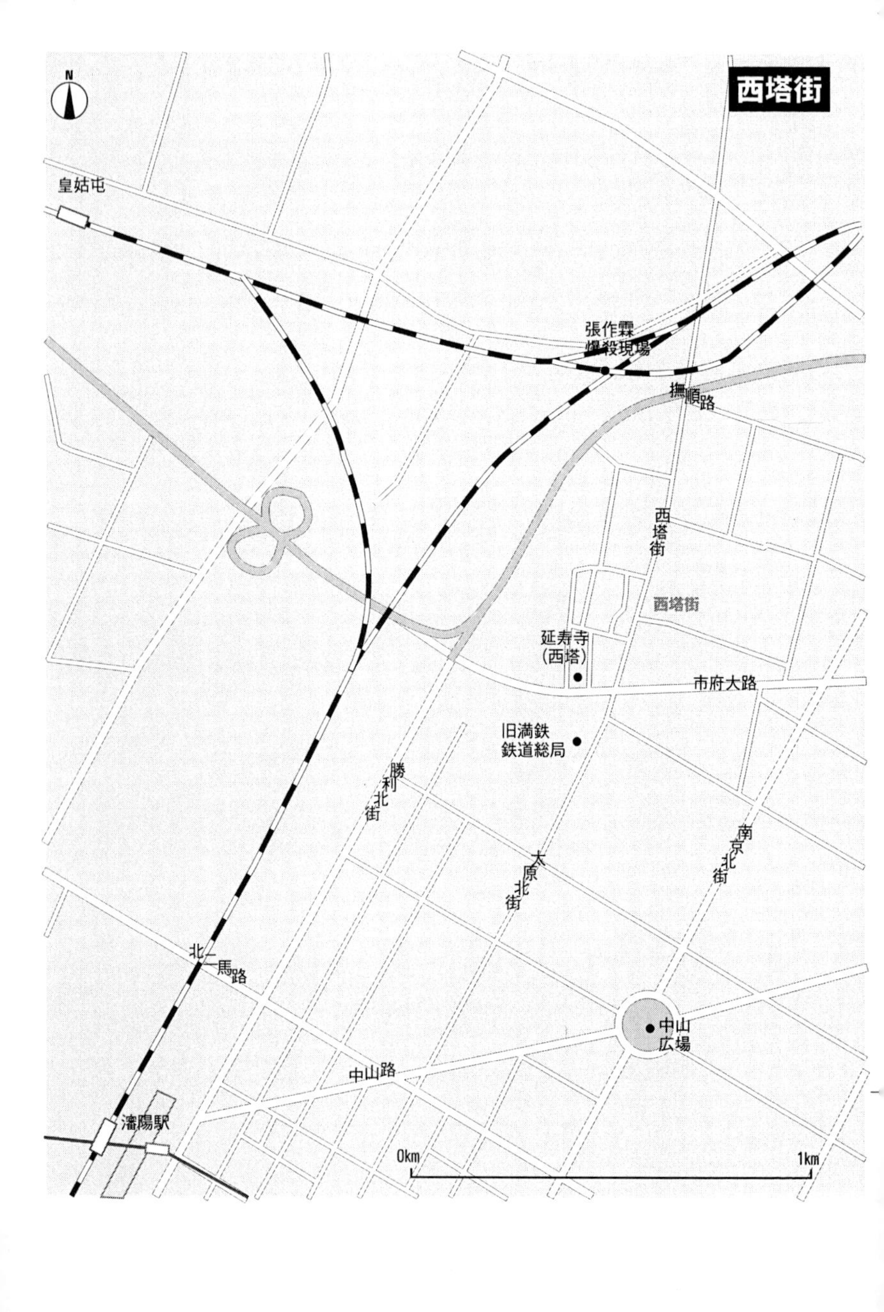

西塔街
N
皇姑屯
張作霖
爆殺現場
撫順路
西
塔
街
西塔街
延寿寺
(西塔)
市府大路
旧満鉄
鉄道総局
勝
利
北
街
太
原
北
街
南
京
北
街
北二馬路
中山
広場
中山路
瀋陽駅
0km
1km

本人や朝鮮人の移民、開墾の手配を行なった旧東洋拓殖株式会社など1920年代に日本人建築家によって建てられた建物がずらりとならぶ。1949年の中華人民共和国成立以後、毛沢東像が建てられた。

西塔街／西塔街★★☆

xī tǎ jiē

せいとうがい／シイタァジエ

韓国・朝鮮の人々が集まって暮らすコリアタウン、西塔街。瀋陽旧市街を囲む4つの塔のうち、西のものがあるため、西塔の名前で呼ばれている。ハングル文字や北朝鮮国旗を思わせる看板を出す店がならび、雑穀の入ったおかゆなど韓国・朝鮮料理を味わうことができる。この西塔街には、満州国時代の1930年に日本の政策で移住することになった人々の子孫も多く、満鉄附属地よりもインフラ環境が劣るこの地を住居とした。

鉄西地区／铁西区★☆☆

tiě xī qū

てつせいちく／ティエシィチュウ

満州国が統治する1930年代に重工業地帯として開発された歴史をもつ鉄西地区（満州を農業国から工業国へと成長させる試みがなされた）。黒煙を吐き出す姿は瀋陽を象徴する光景と知られ、瀋陽鋳造博物館や1928年、張作霖が日本軍に爆殺された皇姑屯も位置する。また現在、鉄西地区は鉄西新区とし

★★☆

瀋陽（南）駅／沈阳南站 シェンヤンナンチャン

中山広場／中山广场 チョンシャングァンチャン

西塔街／西塔街 シイタァジエ

★☆☆

太原街／太原街 タイユゥエンジエ

鉄西地区／铁西区 ティエシィチュウ

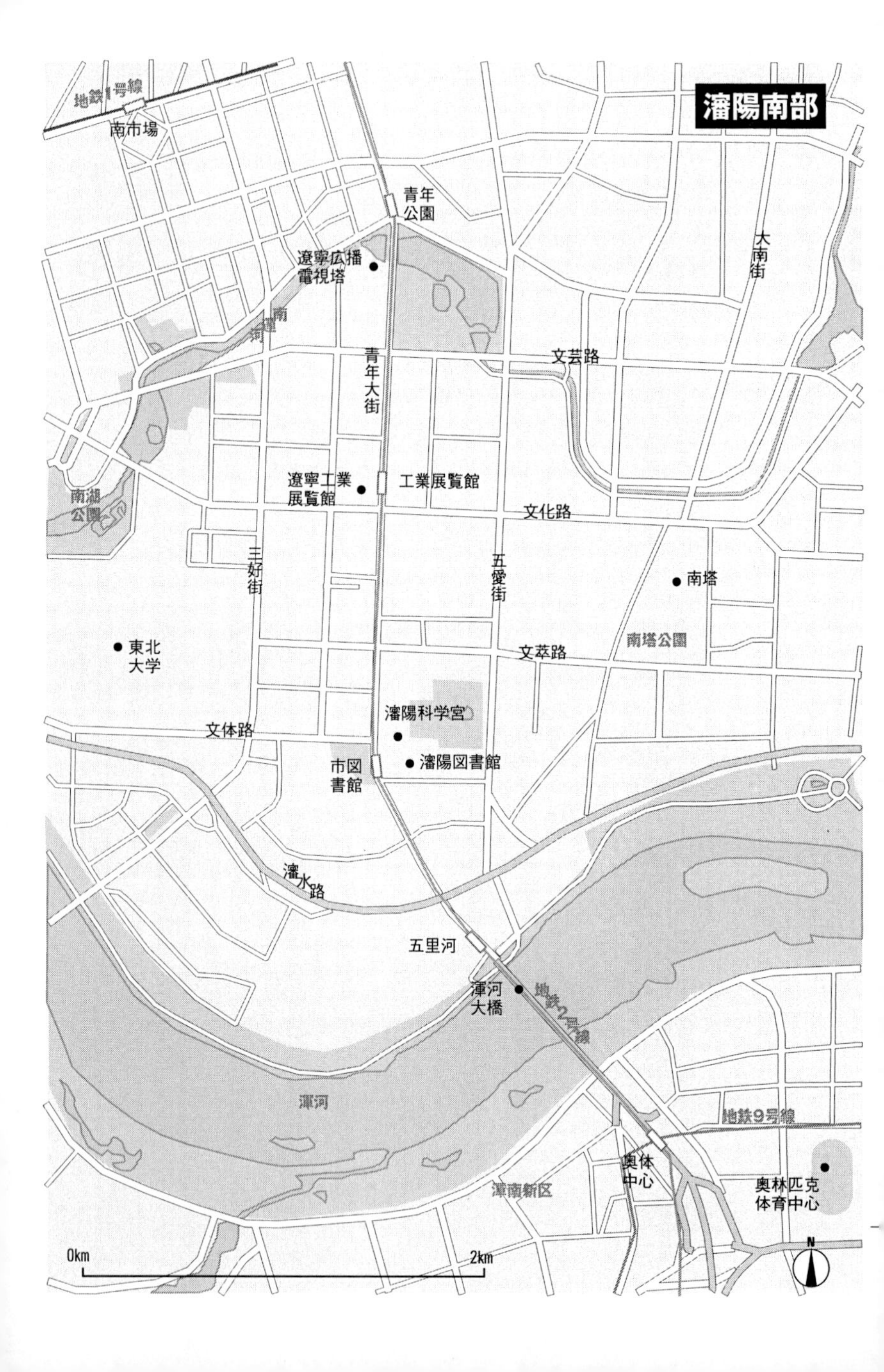
瀋陽南部
地鉄1号線
南市場
青年公園
遼寧広播電視塔
大南街
南運河
青年大街
文芸路
南湖公園
遼寧工業展覧館
工業展覧館
文化路
三好街
五愛街
南塔
南塔公園
東北大学
文萃路
瀋陽科学宮
文体路
市図書館
瀋陽図書館
瀋水路
五里河
渾河大橋
地鉄2号線
渾河
地鉄9号線
奥体中心
奥林匹克体育中心
渾南新区
0km
2km
N

て再編成され、研究所や企業が拠点とする瀋西工業回廊の開発が進められている。

市街南部／城市南方★☆☆

chéng shì nán fāng

しがいなんぶ／チャンシィナンファン

瀋陽市街南部には、高さ305.5mの遼寧広播電視塔がそびえ、あたりは緑地が確保された新市街となっている。遼寧工業展覧館、瀋陽科学宮、瀋陽図書館や瀋陽奥林匹克体育中心体育場といった大型施設も多く見られるほか、渾河の南は渾南新区として急速に発展を見せている。

★☆☆
市街南部／城市南方 チャンシィナンファン

瀋陽駅前にはかつて多くの日本人が暮らした

東京駅と似た外観の瀋陽駅、日本人による設計

瀋陽のコリアタウン、西塔街

満鉄初代総裁後藤新平の意向が働いた旧ヤマトホテル

Shen Yang Jiao Qu

瀋陽郊外城市案内

清の太祖ヌルハチの眠る福陵（東陵）
第2代ホンタイジの昭陵（北陵）
満州事変の勃発した地点には九・一八歴史博物館が立つ

昭陵（北陵）／昭陵★★★

zhāo líng

しょうりょう（ほくりょう）／チャオリン

北陵公園の奥に展開する清朝第2代皇帝ホンタイジの霊廟、昭陵。太祖ヌルハチのあとを受けて即位したホンタイジは、1636年に満州族、モンゴル族、漢族をおさめて清朝を樹立し、皇帝の独裁権を強めた。この昭陵は、万里の長城の外にある関外三陵のなかでもっとも完全なたたずまいを残していると言われ、皇帝を意味する黄金の瑠璃瓦でふかれた建物が軸線上にならぶ（もっとも奥にホンタイジとその皇后ボアルジジトが眠る）。1651年に完成し、現在は世界遺産に指定されている。

満州族による王朝

明代、満州族は撫順東の山間に暮らしていた。太祖ヌルハチが挙兵したときは、満州族の部族制を色濃く残す集団だったが、第2代ホンタイジの時代に皇帝を中心とする支配体制が確立された（現在の瀋陽旧市街の街区は、このホンタイジの時代に整備された）。満州族を中心にモンゴル族、漢族をその臣下にとり囲んで、万里の長城の外側の一大勢力となった清朝は、瀋陽故宮で即位した第3代順治帝の時代（1644年）に北京

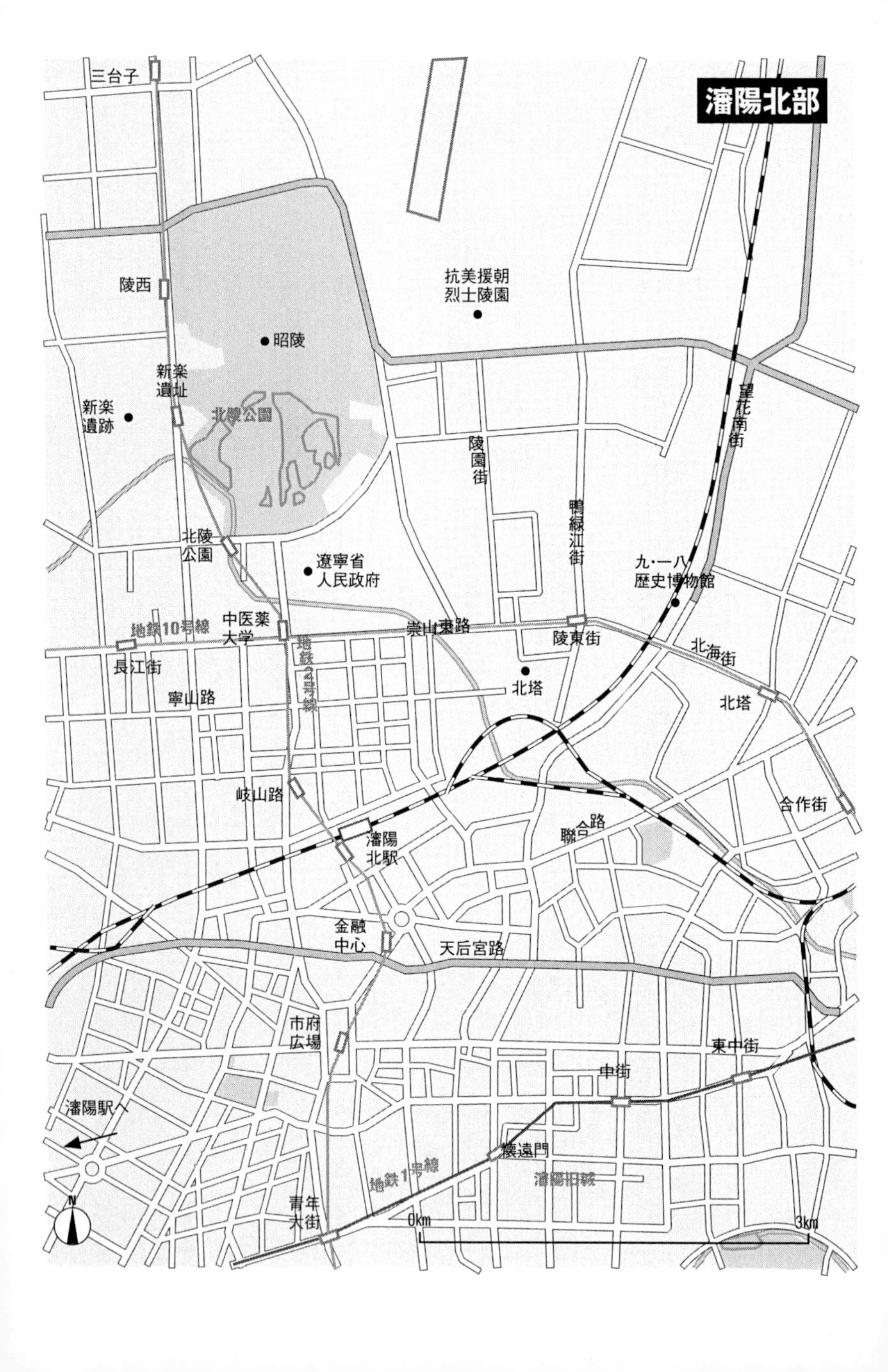
瀋陽北部
三台子
陵西
昭陵
抗美援朝
烈士陵園
新楽
遺址
新楽
遺跡
北陵公園
望
花
南
街
陵
園
街
鴨
緑
江
街
北陵
公園
遼寧省
人民政府
九・一八
歴史博物館
地鉄10号線
中医薬
大学
崇山東路
陵東街
長江街
地
鉄
2
号
線
北海街
北塔
北塔
寧山路
岐山路
合作街
瀋陽
北駅
聯合路
金融
中心
天后宮路
市府
広場
東中街
中街
瀋陽駅へ
懐遠門
地鉄1号線
青年
大街
0km
3km
N

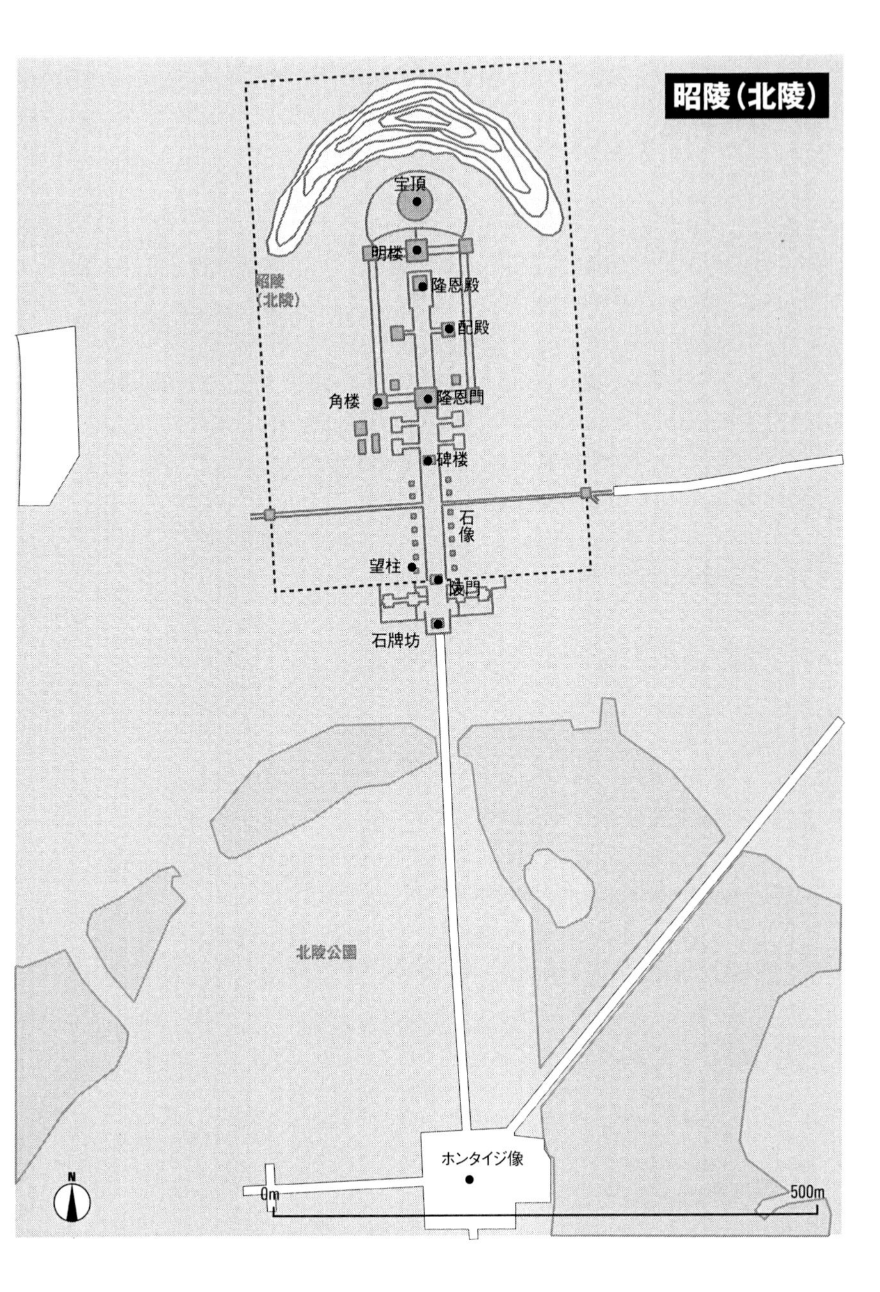

昭陵（北陵）
宝頂
明楼
隆恩殿
配殿
昭陵
（北陵）
角楼
隆恩門
碑楼
石
像
望柱
陵門
石牌坊
北陵公園
ホンタイジ像
N
0m
500m

に入城し、以後、北京に都がおかれることになった。

九・一八歴史博物館／九一八历史博物馆★★★

jiǔ yī bā lì shǐ bó wù guǎn

きゅういちはちれきしはくぶつかん／ジュウイィバァリィシイボォウウグァン

1931年9月18日、日本の関東軍によってこの地の満鉄線が爆破され、それを中国軍のしわざにして軍事行動を開始した満州事変。九・一八歴史博物館では、満州事変から翌年の日本の傀儡政権である満州国建国にいたる歴史が紹介されている。日本の関東軍が瀋陽にいたのは、1905年、日露戦争後のポーツマス条約でロシアから権益をひき継ぎ、南満州鉄道とその付属地（および関東州）の警護にあたる軍の配置を認められていたことによる。かつてここは柳条湖と呼ばれ、瀋陽郊外に位置したが、今では市街と一体化している。

福陵（東陵）／福陵★★☆

fú líng

ふくりょう（とうりょう）／フゥウリン

瀋陽市外から東に11km離れた福陵。天柱山を背後に、渾河を前にした風水上の要地に位置する。明代末期、ヌルハチは撫順東の新賓満族自治県から満州族をひきいて挙兵した清の太祖ヌルハチと皇后のイェヘナラがまつられている。この福陵は1651年に完成し、満州文字を中心に左右に漢字とモンゴル字が記された扁額が見られるところを特徴とする（満州族の地位がより高い）。あたりは自然の地形を利用した公園となっている。

★★★

昭陵（北陵）／昭陵 チャオリン

九・一八歴史博物館／九一八历史博物馆 ジュウイィバァリィシイボォウウグァン

★★☆

中街／中街 チョンジエ

★☆☆

市府広場／市府广场 シイフウガァンチャン

満洲事変が勃発した地に立つ巨大な碑

世界遺産にも指定されている昭陵（北陵）

陵墓内を移動するカート

清朝初代皇帝ヌルハチをまつる福陵（東陵）

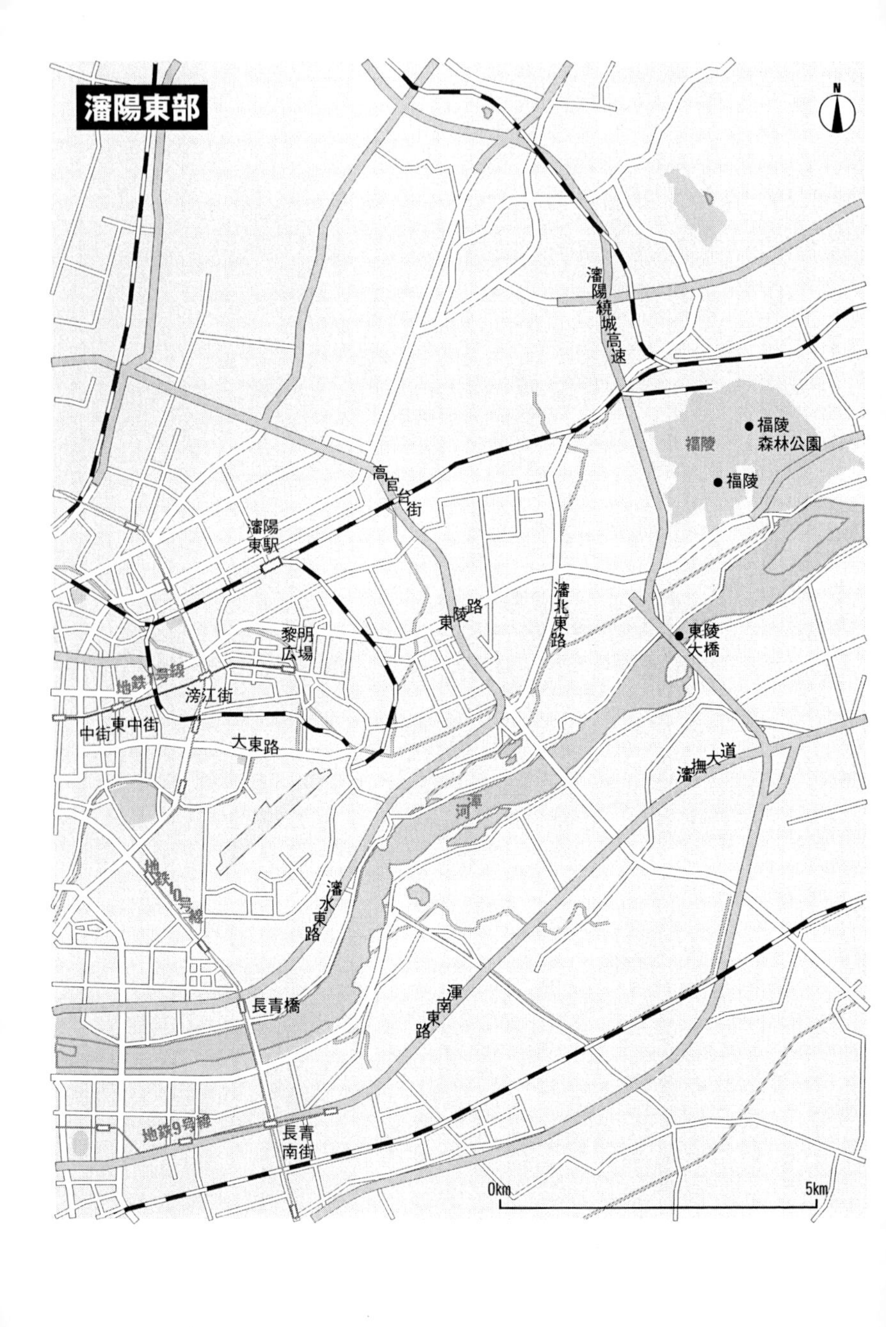
瀋陽東部
N
瀋陽繞城高速
福陵
福陵森林公園
福陵
高官台街
瀋陽東駅
東陵路
瀋北東路
東陵大橋
黎明広場
地鉄1号線
滂江街
中街
東中街
大東路
渾河
瀋撫大道
地鉄10号線
瀋水東路
渾南東路
長青橋
地鉄9号線
長青南街
0km
5km

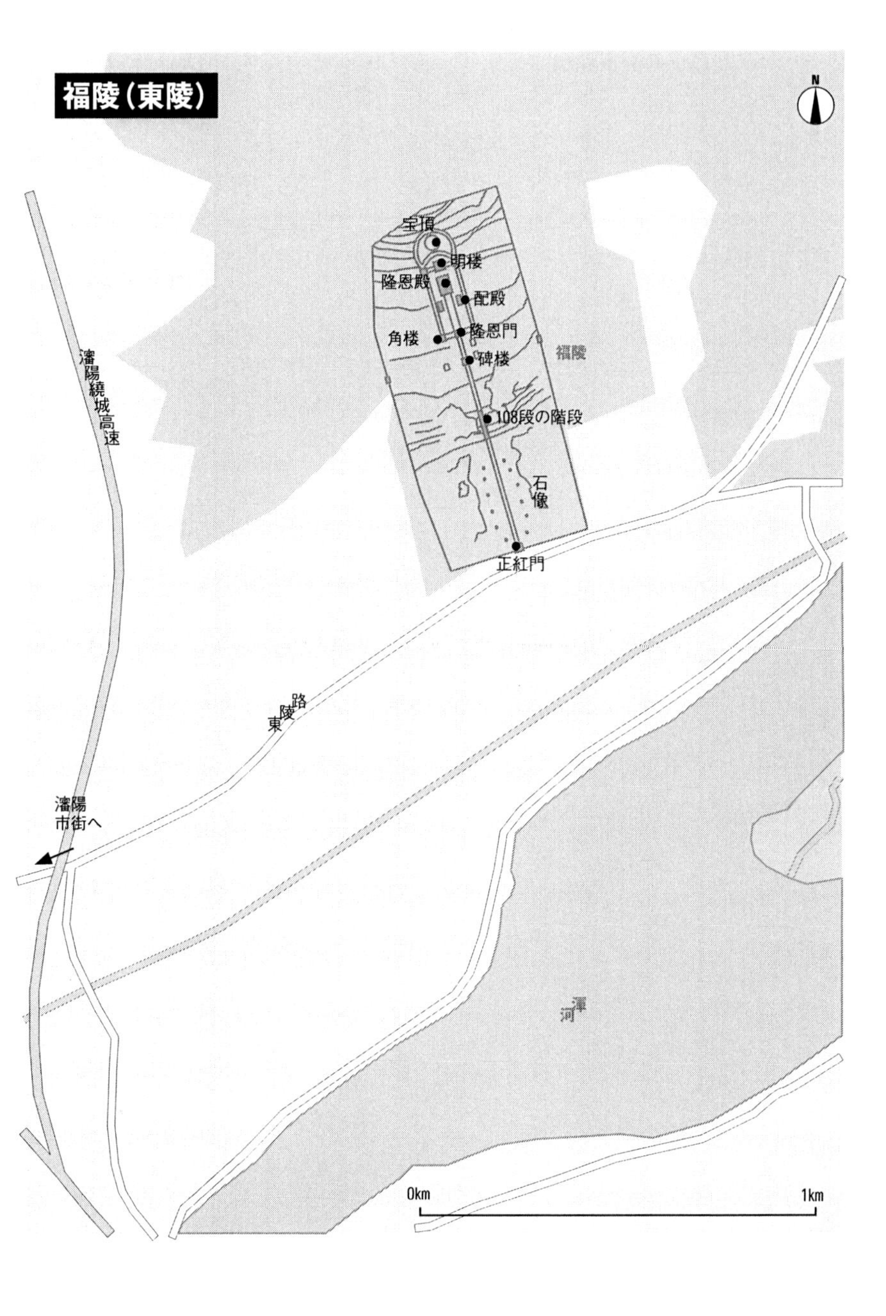
福陵（東陵）
N
宝頂
明楼
隆恩殿
配殿
隆恩門
角楼
碑楼
福陵
108段の階段
石像
正紅門
瀋陽繞城高速
東陵路
瀋陽
市街へ
渾河
0km
1km

ヌルハチの遼東進出

明代、瀋陽東の撫順は異民族統治の拠点となっていて、その東側には辺墻と呼ばれる万里の長城が走っていた（漢族と外側の満州族をわけた）。1619年、サルフの戦いで明の大軍を撃破したヌルハチは遼東平野へ進出し、遼陽、そして1625年、モンゴル、漢族の北京、朝鮮への地の利がある瀋陽に都を構えることになった。

瀋陽鉄路陳列館／沈阳铁路蒸汽机车陈列馆★☆☆

shěn yáng tiě lù zhēng qì jī chē chén liè guǎn

しんようてつろちんれつかん／シェンヤンティエルゥチェンチイジィチャァチェンリエグァン

瀋陽南郊外の蘇家屯に位置し、アメリカ、日本、ロシア、ドイツ製などの蒸気機関車が展示された瀋陽鉄路陳列館。とくに1934年に運行を開始し、最高速度110キロで走った満鉄によるあじあ号を牽引したパシナ形が注目される。

Machi No Utsurikawari

城市のうつりかわり

**古く瀋水と呼ばれた渾河の陽(北)側に広がる地
1625年に清の太祖ヌルハチが都をおいて以来
清朝、軍閥張作霖、満洲国時代へと発展が続いた**

古代「候城」

今から7200年前の住居跡が新楽遺跡から見つかり、古くから瀋陽の地で人類の営みがあったことはわかっている。春秋戦国時代(前770～前221年)、燕が北方民族の雑居する東北地方に進出して遼陽に拠点がおかれ、その北の瀋陽には軍事拠点があった。この要塞は候城と呼ばれ、前漢の時代にも候城の名前が確認できる。当時、瀋陽はモンゴルや満州に雑居する諸民族への前線基地となっていた。

南北朝から唐「玄菟城」

後漢(25～220年)以後、漢族の東北進出は後退し、瀋陽は高句麗(前1世紀後半～668年)の勢力下に入るようになった(遼河を境に中国王朝との対立が続き、遼河にそって高句麗の城壁が築かれていた)。遼東地方最大の街は遼陽にあり、瀋陽近くの撫順にも山城である新城が築かれていた。隋の煬帝は遼河を越えて高句麗を攻めたが失敗し、その後、唐(618～907年)の太宗によって高句麗は滅亡した。唐の支配が東北地方に広がるなか、高句麗遺民は渤海を建国している。この時代、瀋陽は玄菟城の名前で呼ばれていた。

遼金「瀋州」

中国王朝は唐から宋(960～1279年)に遷ったが、北京や東北地方はモンゴル族の遼の勢力下に入った。926年、遼は渤海を滅ぼし、人々を瀋陽近くに移住させ、瀋州の名前がこのときはじめて使われた(渤海の人々の故郷の地名からとられたという)。また1116年、黒竜江省で起こった女真族の金が遼から瀋州を奪い、華北へ勢力を広げた。遼金時代の中心は遼陽にあったが、金代になると南北の交易路として瀋陽の価値が高まっていた。

元「瀋陽路」

1234年、モンゴル族は金を滅ぼし、1271年、北京を都に元が樹立された。瀋陽の名前は元代の1297年にはじめて見られ、瀋水と呼ばれた渾河の陽(川を南におく中国の風水上の考え)に位置することにちなむ。元代、その領土はユーラシア大陸全域におよび、とくに瀋陽は元の属国となった高麗と北京を結ぶ地にあたった。こうして瀋陽の行政都市としての地位があがり、この街は瀋陽路と呼ばれるようになった(元に服属した高麗の軍民が多く居住した)。

明「瀋陽中衛」

1368年、元を破った明は東北に進出し、遼陽に東北支配の拠点がおかれた(唐以来、漢族を中心の王朝支配が及んだ)。このとき瀋陽には遼東の中心遼陽北の軍事拠点として、瀋陽中衛がおかれた。モンゴル族(北元)はなおモンゴル高原で力をもっていたため、明は南満州経営を重視し、辺墻と呼ばれる万里の長城を築いて異民族を隔離した(周辺の民族に地位をあたえて懐柔政策をとった)。この辺墻は撫順の東を走り、その外側で女真族は力をつけ、建州女真のヌル

黄色の瑠璃瓦が空に映える

満州文字と漢字がならぶ、瀋陽故宮にて

清朝、張作霖、日本と主を変えてきた

渾南新区に立つスタジアム、街は東西南北全方向に拡大している

ハチは1618年、明に対して挙兵した。

清朝「盛京・奉天府」

挙兵したヌルハチは1619年にサルフの戦いで明軍を破って遼東平野に進出し、1625年、瀋陽に都を構えた。ヌルハチ時代は明代の街をそのまま利用したものだったが、続く第2代ホンタイジは街区を整備し、盛京(ムクデン)と名づけられた。1644年、北京に遷都されたあとも、瀋陽は北京に準ずる陪都として中国本土とは異なる盛京将軍による軍政が敷かれた。1657年、第4代康熙帝によって奉天府が設けられ、以来、瀋陽は奉天の名前で呼ばれるようになった。清朝発祥の地として漢族などの移住が禁じられていたが、19世紀になるとヨーロッパ人も多く瀋陽に進出した。

近代「奉天」

1895年、日清戦争で清が日本に敗れると、東北地方は中国に進出する列強諸国の思惑が交錯する地となった。1898年、ロシアは清朝に大連、旅順へ通じる鉄道の建設を認めさせ、旧市街西側に瀋陽駅と付属地がもうけられた。1904〜05年の日露戦争では瀋陽全域が奉天会戦の激戦地となり、勝利した日本はロシアから鉄道と付属地を獲得して、瀋陽に進出した。一方で1911年の辛亥革命以後、軍閥張作霖が瀋陽に拠点を構えて、東三省を支配した。日本は張作霖を支援することで権益の拡大をはかったが、張作霖が反日的な行動をとるようになったことから、1928年に張作霖を爆殺。やがて1931年に瀋陽郊外の柳条湖満鉄爆破事件から1932年の満州国建国へつながっていた。

現代「瀋陽」

1949年に中華人民共和国が成立すると、ソ連の援助や計画経済のもと瀋陽は、中国屈指の重工業都市という性格を維持していた。一方で20世紀末になると改革開放が遅れて経済が停滞し、大型国有企業が赤字を出すことから東北現象という言葉が聞かれるようになった。こうしたなか、21世紀に入って、瀋陽市街の東西南北に位置する開発区の整備が進んでいる。くわえて瀋陽から距離の近い遼寧省中部の都市群で瀋陽経済圏をつくり、珠江デルタ、長江デルタ、渤海湾経済圏に続く経済圏を構成するようになった。

参考文献

『ヌルハチの都 満洲遺産のなりたちと変遷』(三宅理一/ランダムハウス講談社)
『図説「満洲」都市物語』(西沢泰彦/河出書房新社)
『奉天と遼陽』(鴛淵一/冨山房)
『中国朝鮮族を生きる』(戸田郁子/岩波書店)
『満蒙全書』(南満洲鐵道株式會社社長室調査課/満蒙文化協會)
『朝鮮・満洲史』(稲葉岩吉・矢野仁一/平凡社)
『世界大百科事典』(平凡社)
[PDF]瀋陽地下鉄路線図http://machigotopub.com/pdf/shenyangmetro.pdf
[PDF]瀋陽空港案内http://machigotopub.com/pdf/shenyangairport.pdf
OpenStreetMap
(C)OpenStreetMap contributors

まちごとパブリッシングの旅行ガイド

Machigoto INDIA , Machigoto ASIA , Machigoto CHINA

北インド-まちごとインド

001　はじめての北インド
002　はじめてのデリー
003　オールド・デリー
004　ニュー・デリー
005　南デリー
012　アーグラ
013　ファテープル・シークリー
014　バラナシ
015　サールナート
022　カージュラホ
032　アムリトサル

西インド-まちごとインド

001　はじめてのラジャスタン
002　ジャイプル
003　ジョードプル
004　ジャイサルメール
005　ウダイプル
006　アジメール（プシュカル）
007　ビカネール
008　シェカワティ
011　はじめてのマハラシュトラ
012　ムンバイ
013　プネー
014　アウランガバード
015　エローラ
016　アジャンタ
021　はじめてのグジャラート
022　アーメダバード
023　ヴァドダラー（チャンパネール）
024　ブジ（カッチ地方）

東インド-まちごとインド

002　コルカタ
012　ブッダガヤ

南インド-まちごとインド

001　はじめてのタミルナードゥ
002　チェンナイ
003　カーンチプラム
004　マハーバリプラム

005　タンジャヴール
006　クンバコナムとカーヴェリー・デルタ
007　ティルチラパッリ
008　マドゥライ
009　ラーメシュワラム
010　カニャークマリ
021　はじめてのケーララ
022　ティルヴァナンタプラム
023　バックウォーター（コッラム〜アラップーザ）
024　コーチ（コーチン）
025　トリシュール

ネパール-まちごとアジア

001　はじめてのカトマンズ
002　カトマンズ
003　スワヤンブナート
004　パタン
005　バクタプル
006　ポカラ
007　ルンビニ
008　チトワン国立公園

バングラデシュ-まちごとアジア

001　はじめてのバングラデシュ
002　ダッカ
003　バゲルハット（クルナ）
004　シュンドルボン
005　プティア
006　モハスタン（ボグラ）
007　パハルプール

パキスタン-まちごとアジア

002　フンザ
003　ギルギット（KKH）
004　ラホール
005　ハラッパ
006　ムルタン

イラン-まちごとアジア

001　はじめてのイラン
002　テヘラン
003　イスファハン
004　シーラーズ
005　ペルセポリス
006　パサルガダエ（ナグシェ・ロスタム）
007　ヤズド
008　チョガ・ザンビル（アフヴァーズ）
009　タブリーズ
010　アルダビール

北京-まちごとチャイナ

001　はじめての北京
002　故宮（天安門広場）
003　胡同と旧皇城
004　天壇と旧崇文区
005　瑠璃廠と旧宣武区
006　王府井と市街東部
007　西単と市街西部
008　頤和園と西山
009　盧溝橋と周口店
010　万里の長城と明十三陵

天津-まちごとチャイナ

001　はじめての天津
002　天津市街
003　浜海新区と市街南部
004　薊県と清東陵

上海-まちごとチャイナ

001　はじめての上海
002　浦東新区
003　外灘と南京東路
004　淮海路と市街西部
005　虹口と市街北部
006　上海郊外（龍華・七宝・松江・嘉定）
007　水郷地帯（朱家角・周荘・同里・甪直）

河北省-まちごとチャイナ

001　はじめての河北省
002　石家荘
003　秦皇島
004　承徳
005　張家口
006　保定
007　邯鄲

江蘇省-まちごとチャイナ

001　はじめての江蘇省
002　はじめての蘇州
003　蘇州旧城
004　蘇州郊外と開発区
005　無錫
006　揚州
007　鎮江
008　はじめての南京
009　南京旧城
010　南京紫金山と下関
011　雨花台と南京郊外・開発区
012　徐州

浙江省-まちごとチャイナ

001　はじめての浙江省
002　はじめての杭州
003　西湖と山林杭州
004　杭州旧城と開発区
005　紹興
006　はじめての寧波
007　寧波旧城
008　寧波郊外と開発区
009　普陀山
010　天台山
011　温州

福建省-まちごとチャイナ

001　はじめての福建省
002　はじめての福州
003　福州旧城
004　福州郊外と開発区
005　武夷山
006　泉州

007　厦門
008　客家土楼

広東省-まちごとチャイナ

001　はじめての広東省
002　はじめての広州
003　広州古城
004　天河と広州郊外
005　深圳（深セン）
006　東莞
007　開平（江門）
008　韶関
009　はじめての潮汕
010　潮州
011　汕頭

遼寧省-まちごとチャイナ

001　はじめての遼寧省
002　はじめての大連
003　大連市街
004　旅順
005　金州新区
006　はじめての瀋陽
007　瀋陽故宮と旧市街
008　瀋陽駅と市街地
009　北陵と瀋陽郊外
010　撫順

重慶-まちごとチャイナ

001　はじめての重慶
002　重慶市街
003　三峡下り（重慶～宜昌）
004　大足
005　重慶郊外と開発区

四川省-まちごとチャイナ

001　はじめての四川省
002　はじめての成都
003　成都旧城
004　成都周縁部
005　青城山と都江堰
006　楽山
007　峨眉山
008　九寨溝

香港-まちごとチャイナ

001　はじめての香港
002　中環と香港島北岸
003　上環と香港島南岸
004　尖沙咀と九龍市街
005　九龍城と九龍郊外
006　新界
007　ランタオ島と島嶼部

マカオ-まちごとチャイナ

001　はじめてのマカオ
002　セナド広場とマカオ中心部
003　媽閣廟とマカオ半島南部
004　東望洋山とマカオ半島北部
005　新口岸とタイパ・コロアン

Juo-Mujin（電子書籍のみ）

Juo-Mujin香港縦横無尽
Juo-Mujin北京縦横無尽
Juo-Mujin上海縦横無尽
Juo-Mujin台北縦横無尽
見せよう! 上海で中国語
見せよう! 蘇州で中国語
見せよう! 杭州で中国語
見せよう! デリーでヒンディー語
見せよう! タージマハルでヒンディー語
見せよう! 砂漠のラジャスタンでヒンディー語

自力旅游中国Tabisuru CHINA

001　バスに揺られて「自力で長城」
002　バスに揺られて「自力で石家荘」
003　バスに揺られて「自力で承徳」
004　船に揺られて「自力で普陀山」
005　バスに揺られて「自力で天台山」
006　バスに揺られて「自力で秦皇島」
007　バスに揺られて「自力で張家口」
008　バスに揺られて「自力で邯鄲」
009　バスに揺られて「自力で保定」
010　バスに揺られて「自力で清東陵」
011　バスに揺られて「自力で潮州」
012　バスに揺られて「自力で汕頭」
013　バスに揺られて「自力で温州」
014　バスに揺られて「自力で福州」
015　メトロに揺られて「自力で深圳」

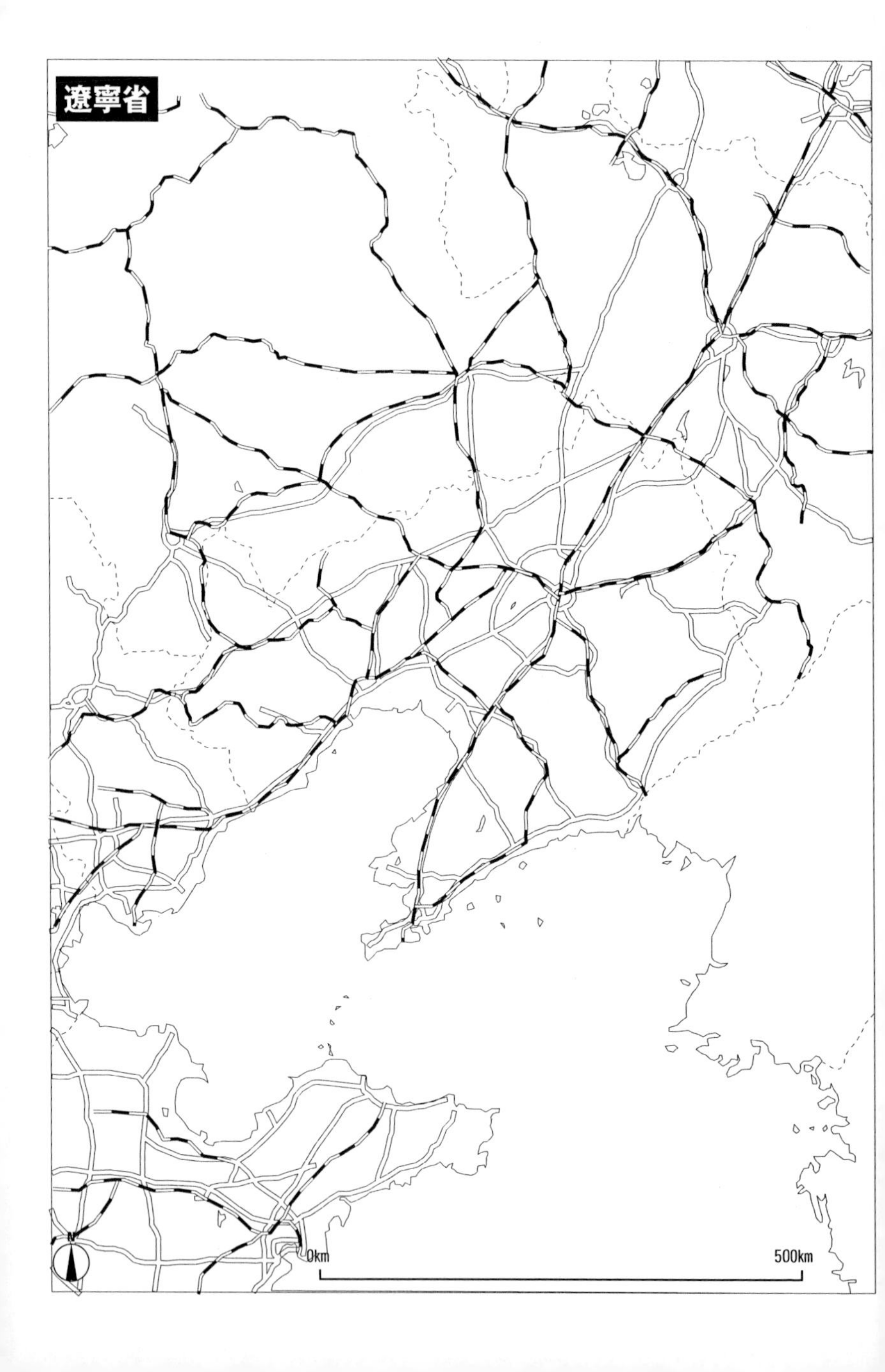
遼寧省
N
0km
500km

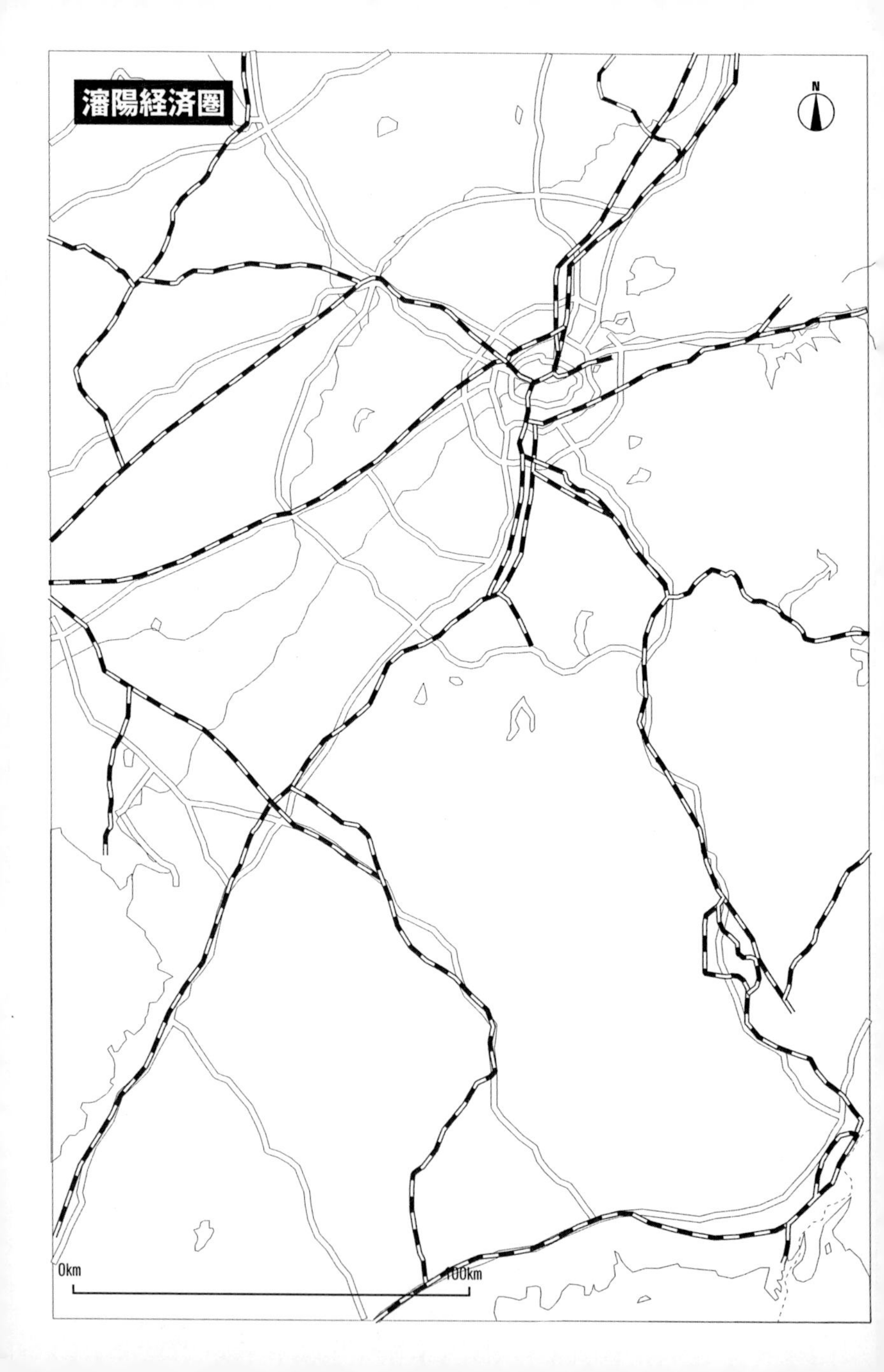
瀋陽経済圏
N
0km
100km

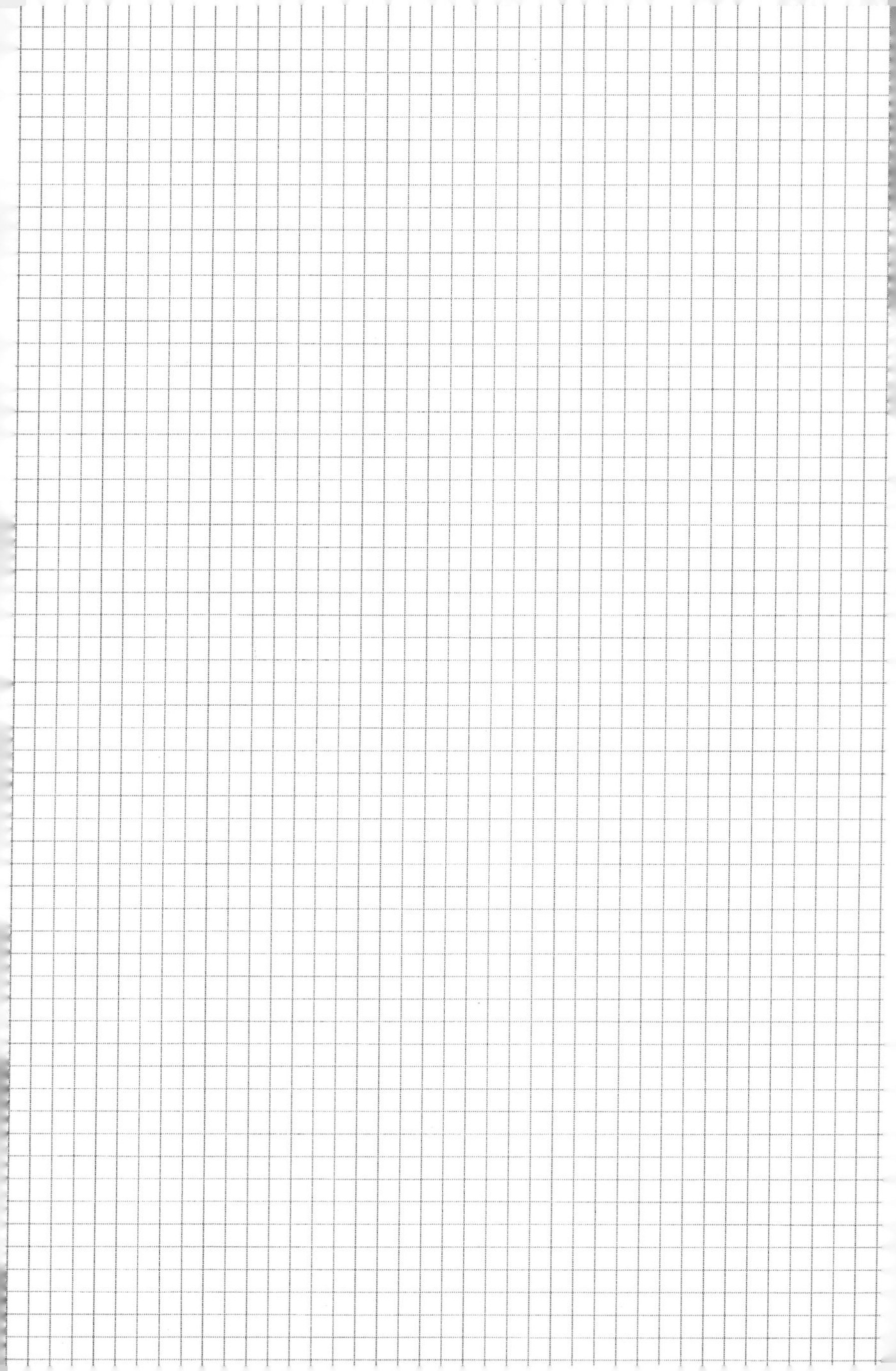

瀋陽
N
0km
10km

瀋陽旧内城
N
0km
1km

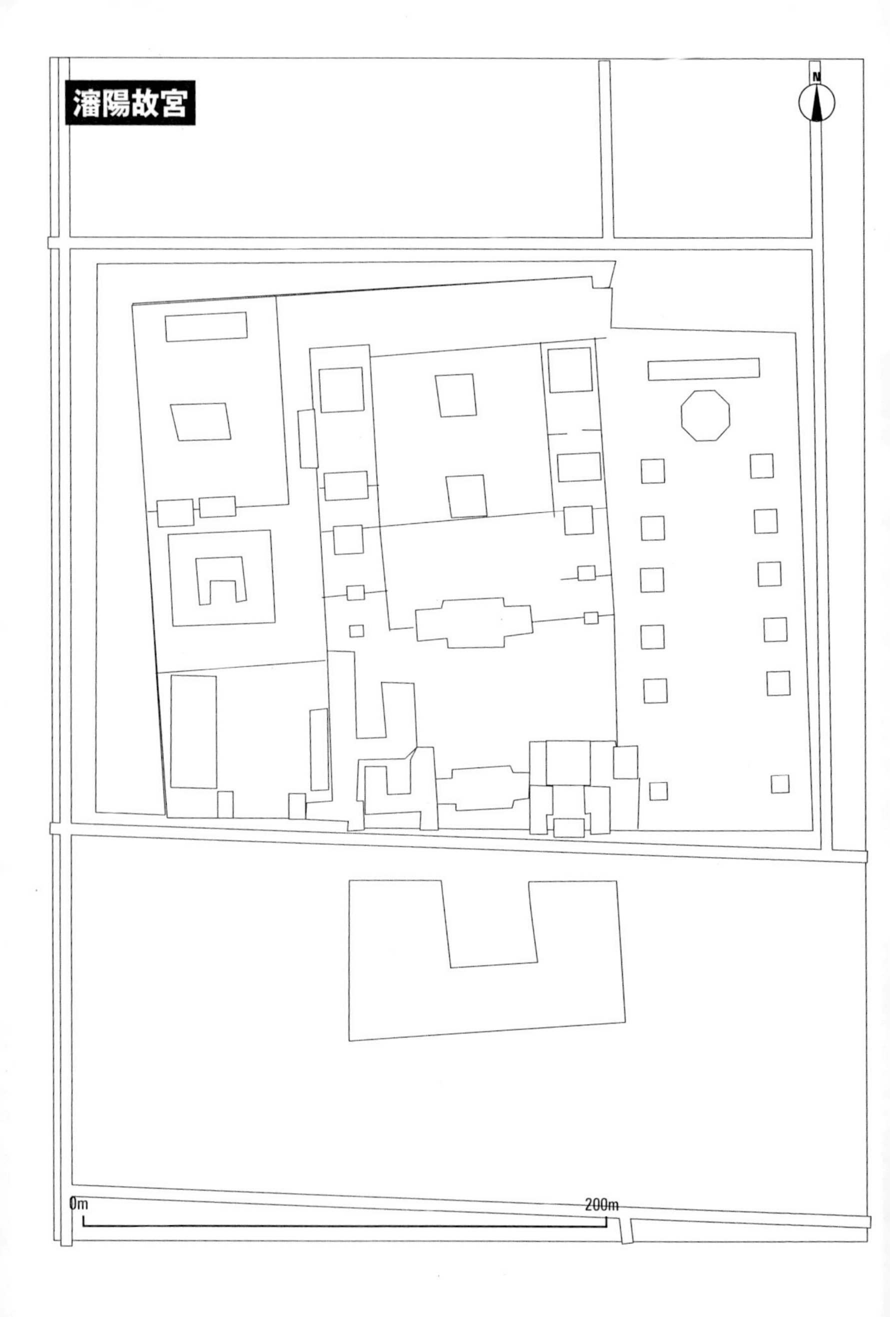
瀋陽故宮
N
0m
200m

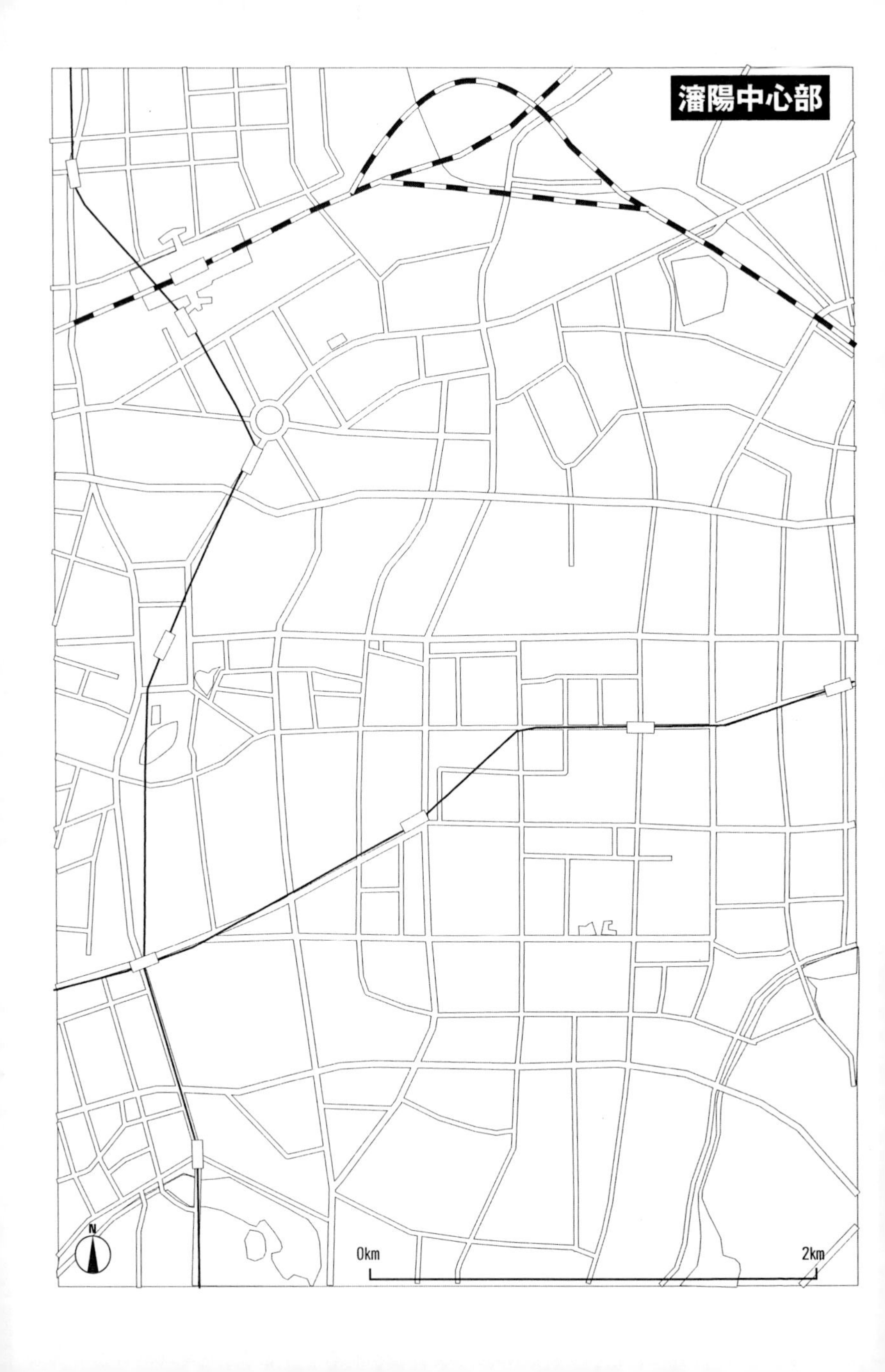
瀋陽中心部
N
0km
2km

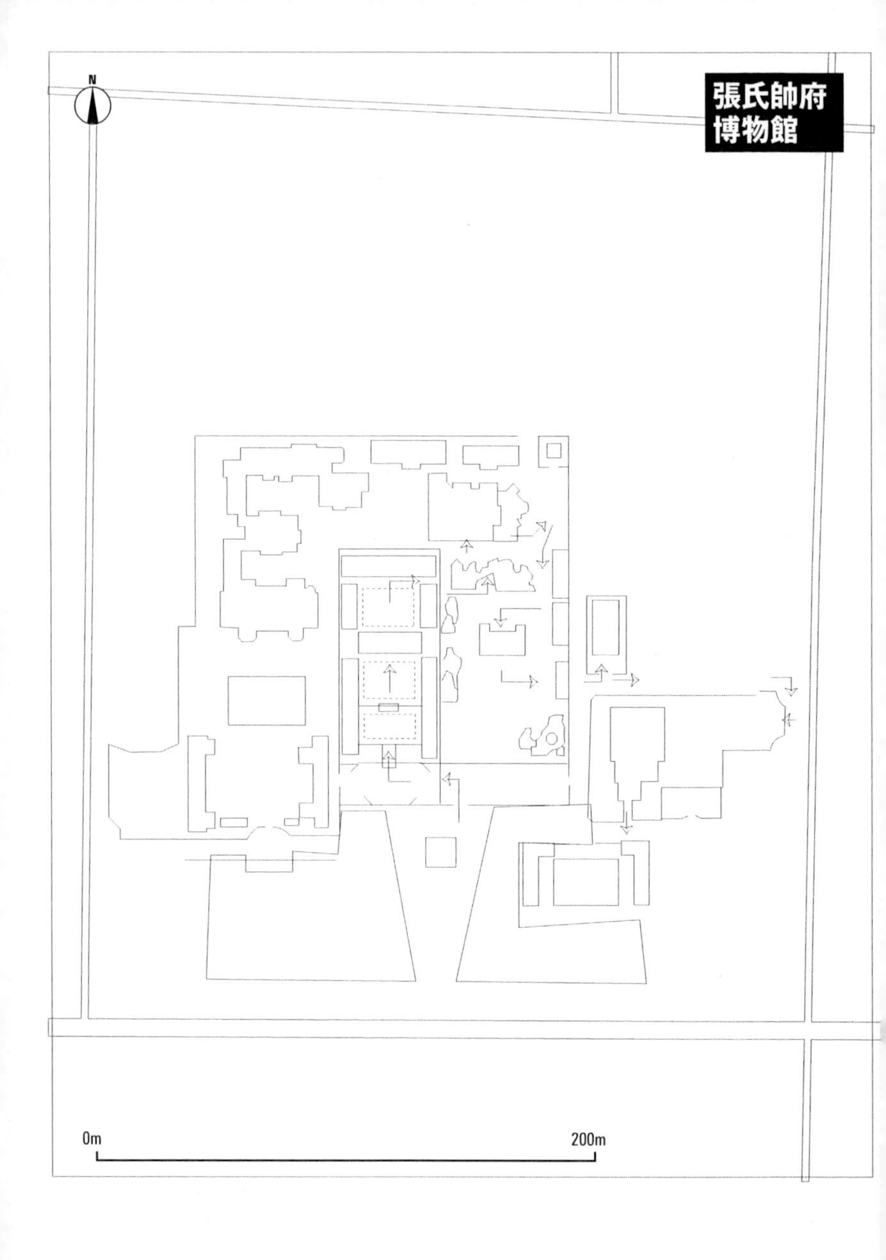
張氏帥府
博物館
N
0m
200m

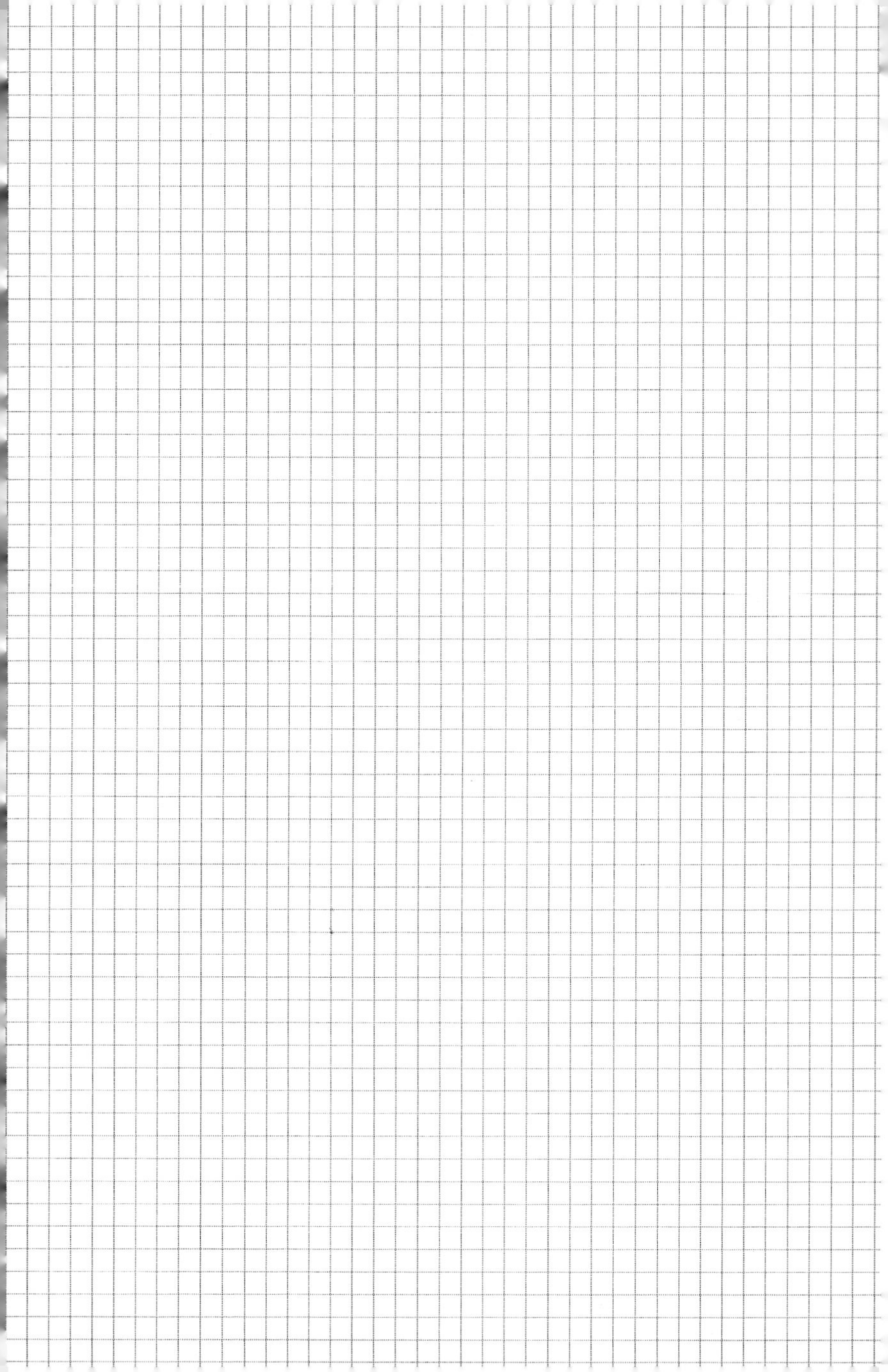

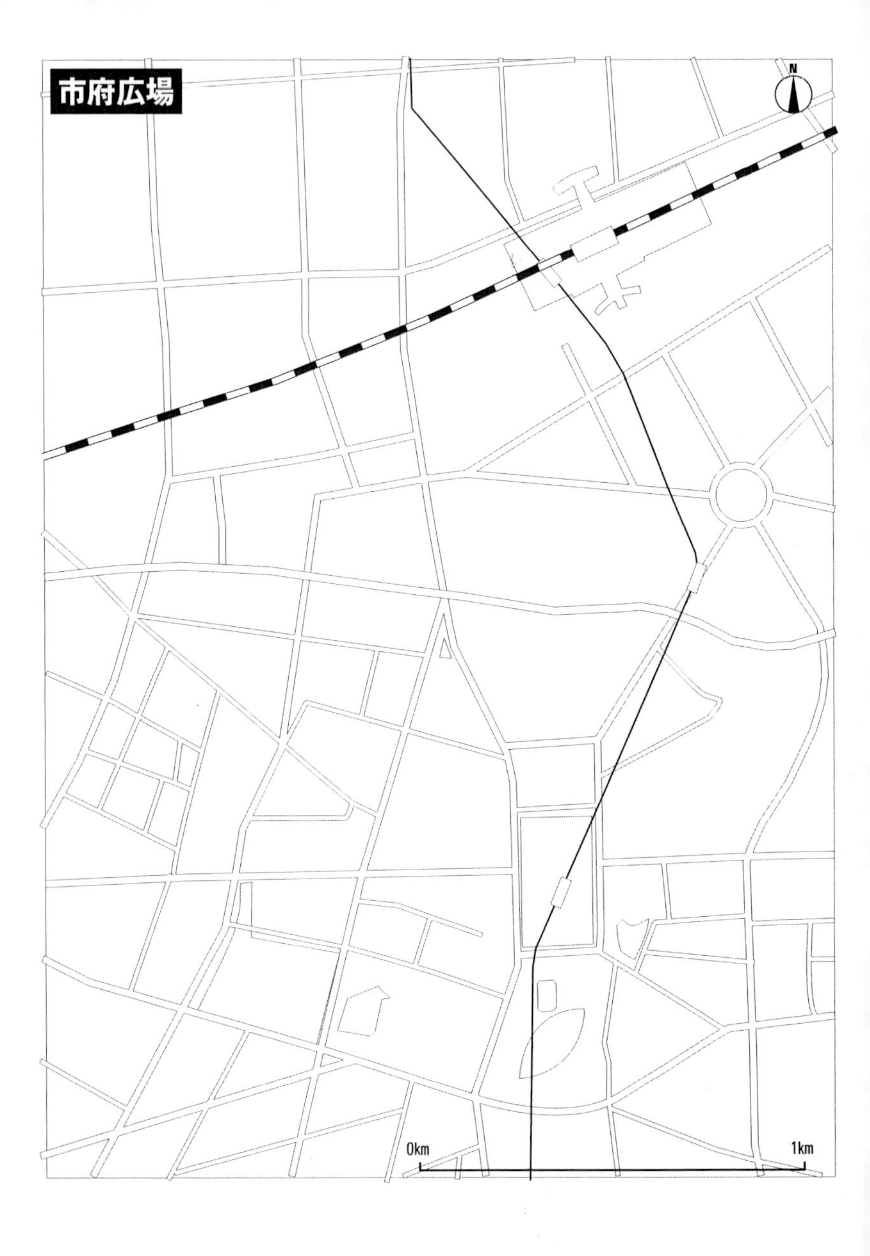
市府広場
N
0km
1km

旧満鉄附属地
N
0km
2km

中山広場
N
0m
300m

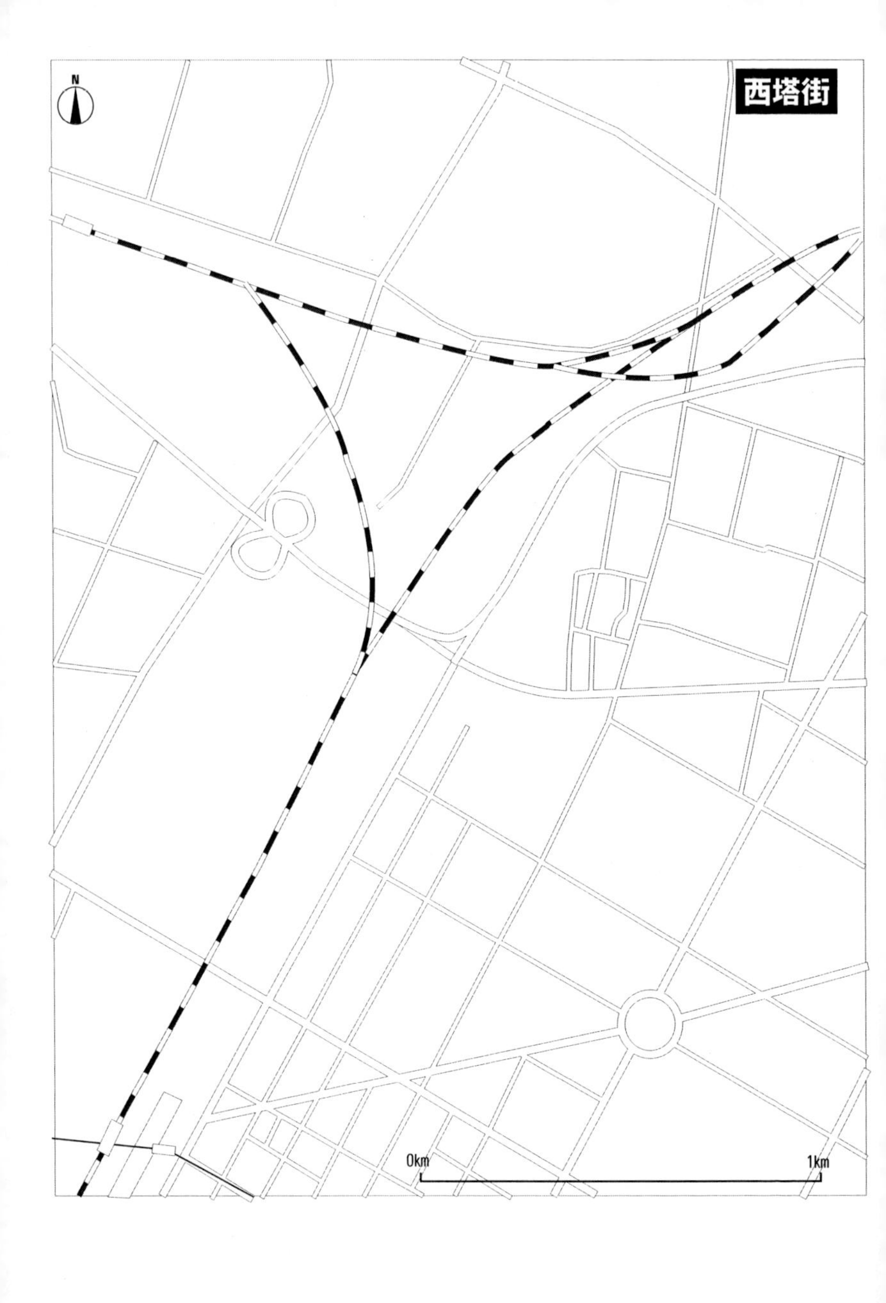
西塔街
N
0km
1km

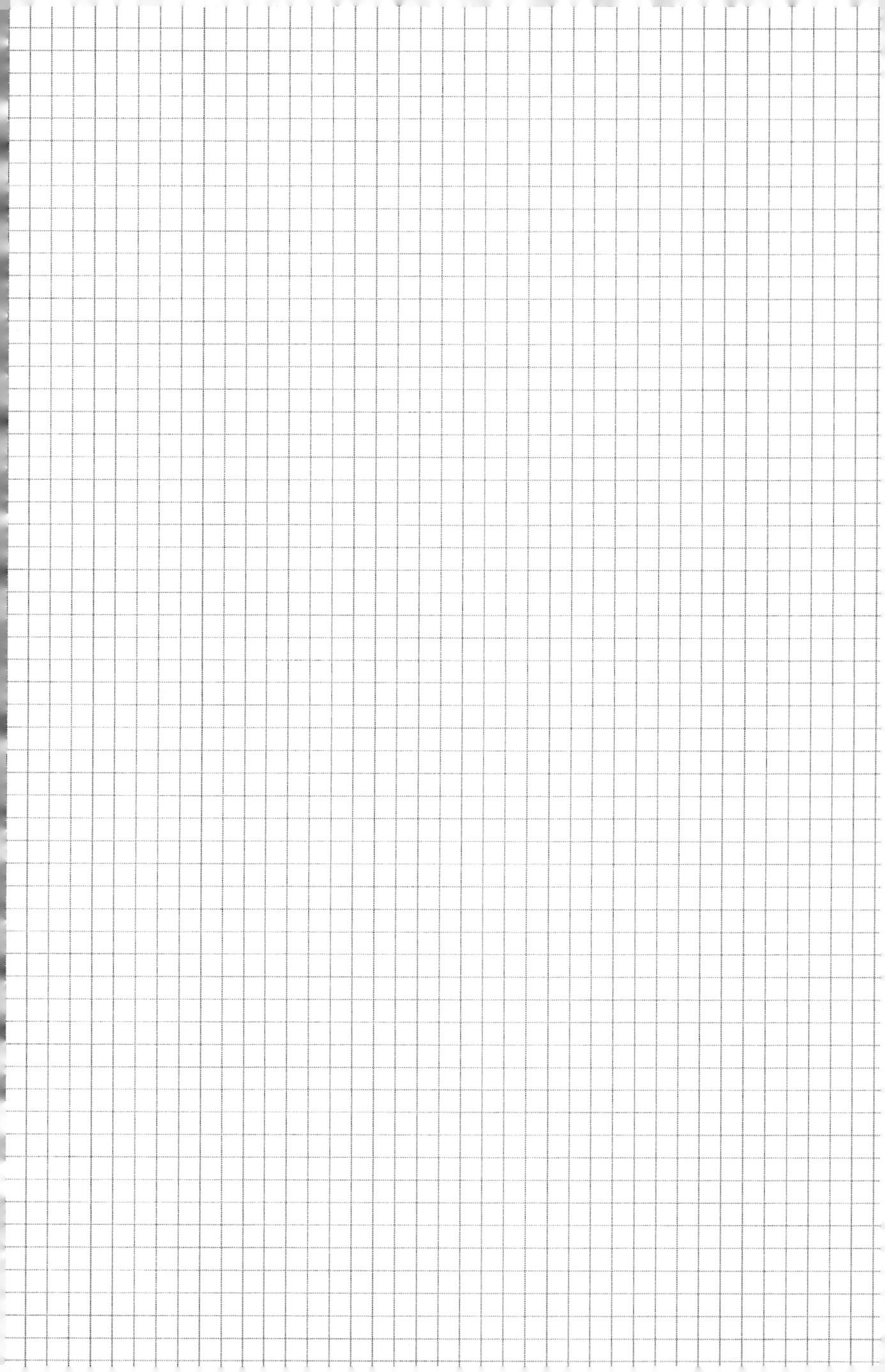

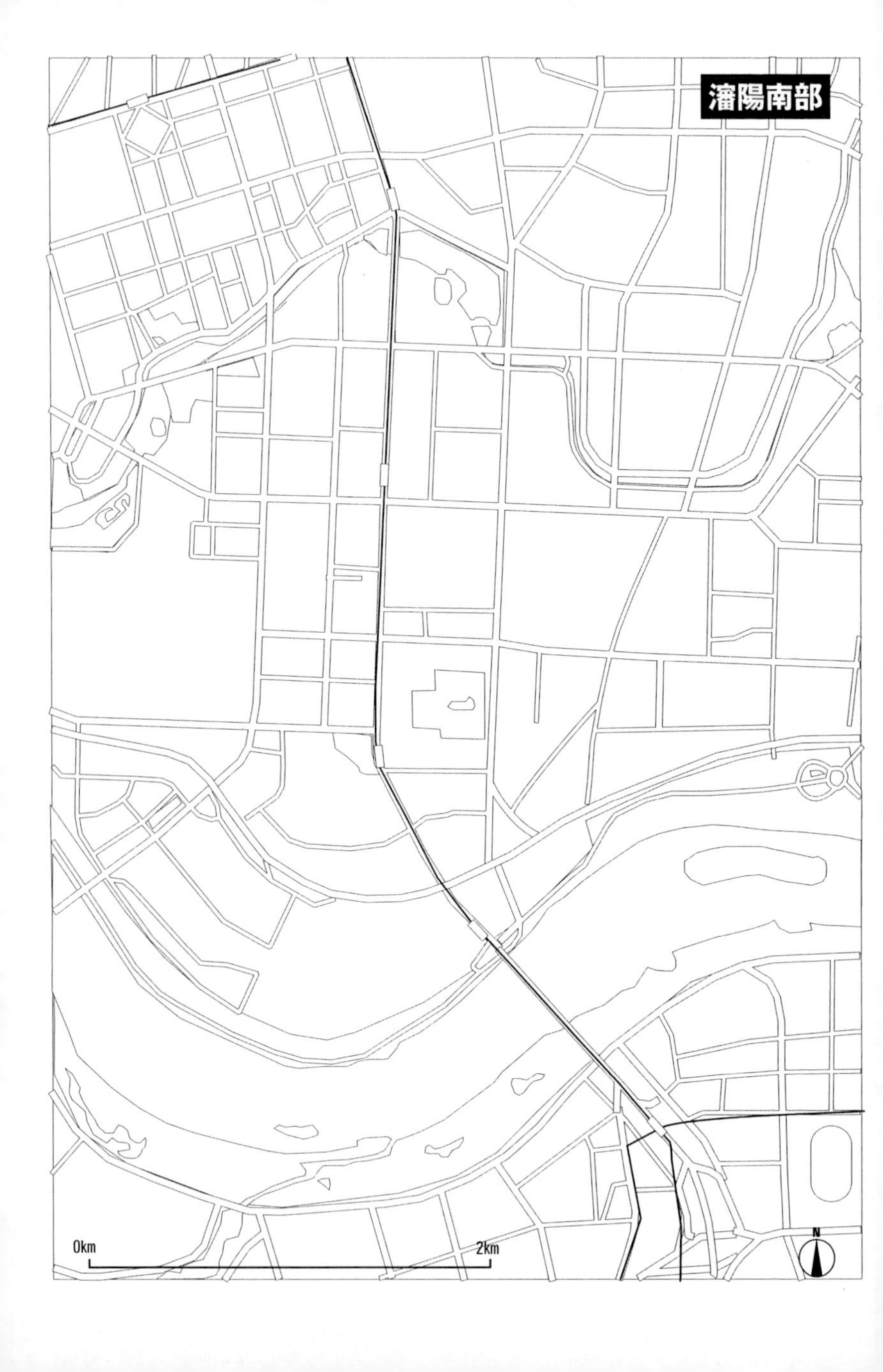
瀋陽南部
0km
2km
N

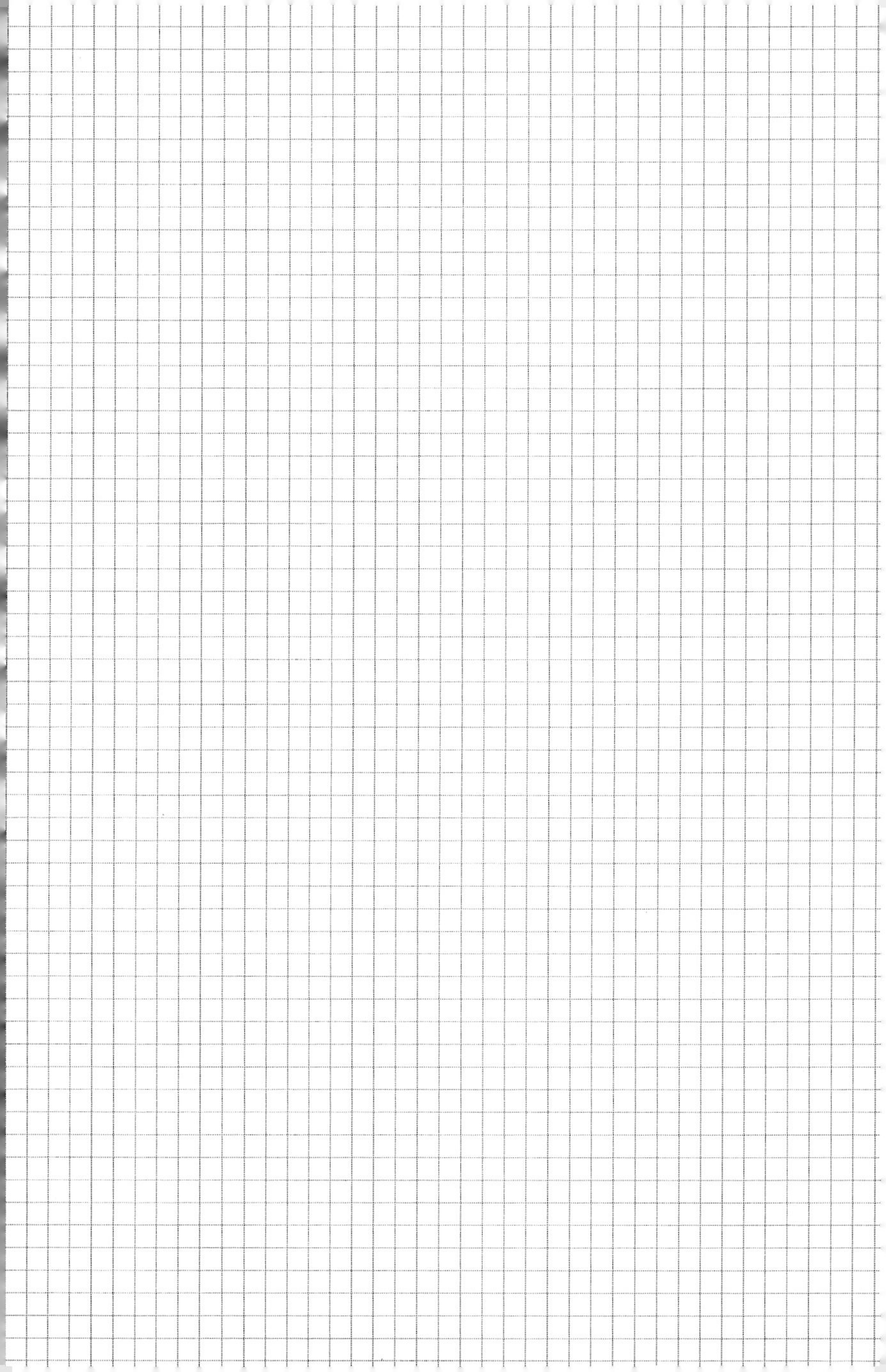

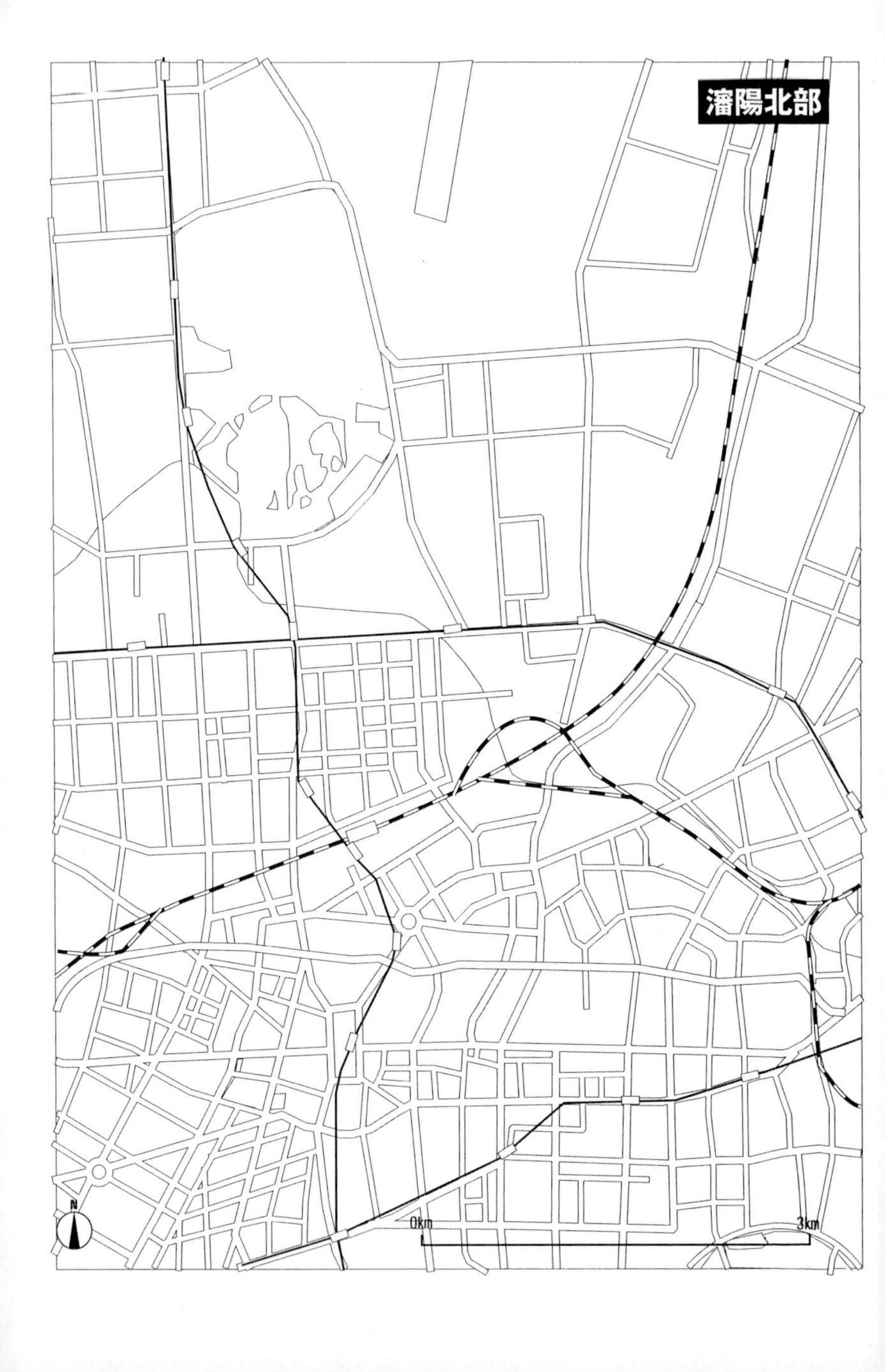
瀋陽北部
N
0km
3km

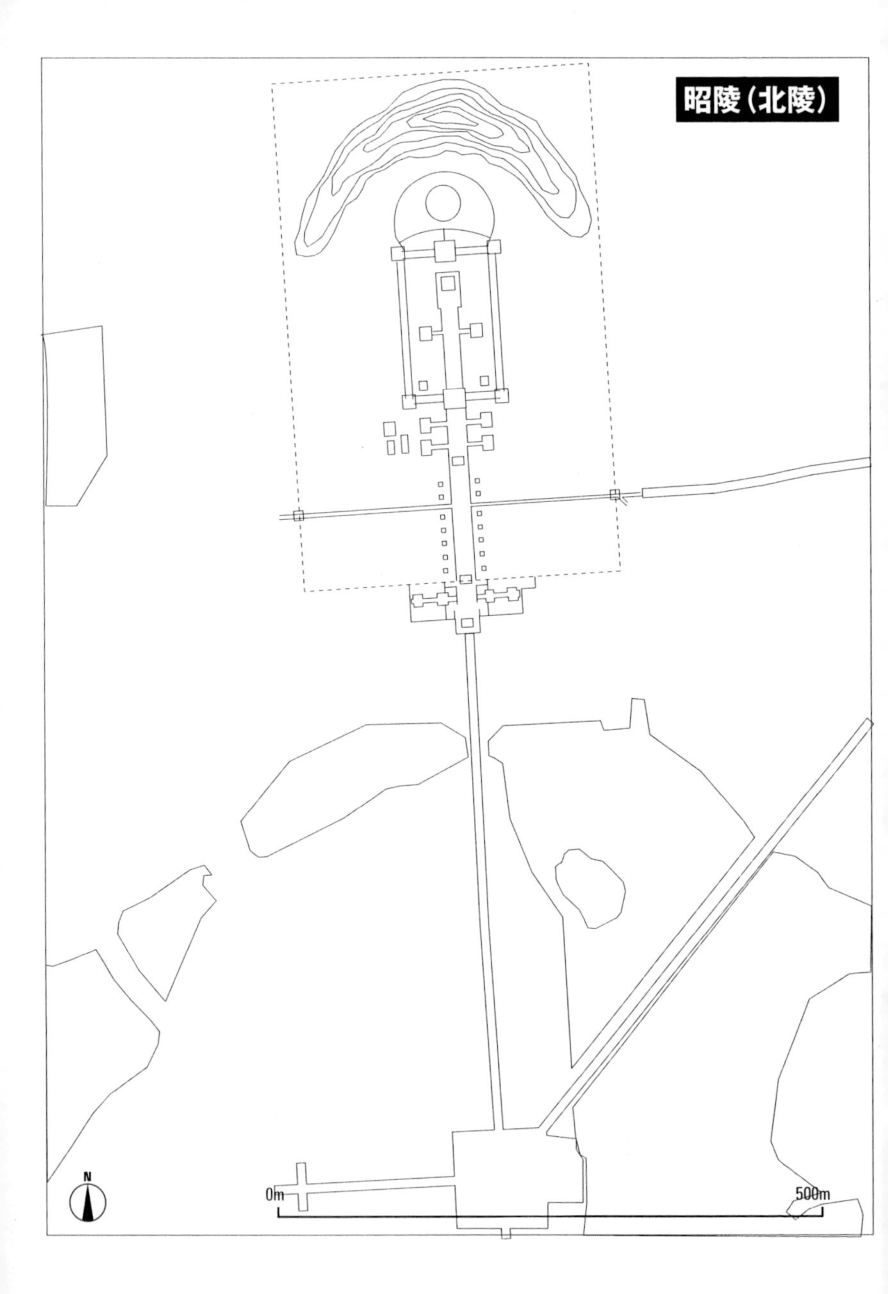
昭陵（北陵）
N
0m
500m

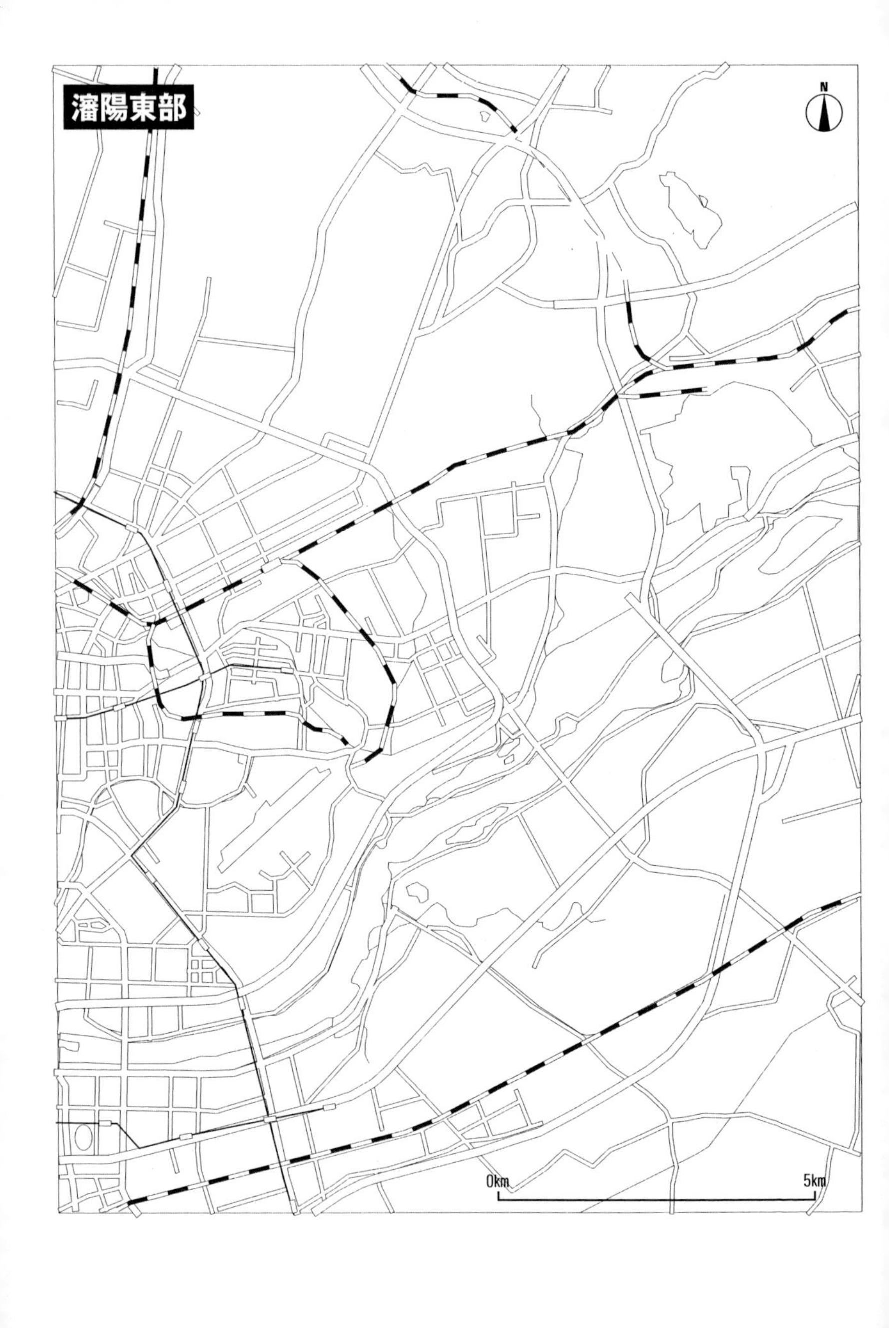
瀋陽東部
N
0km
5km

福陵（東陵）
N
0km
1km

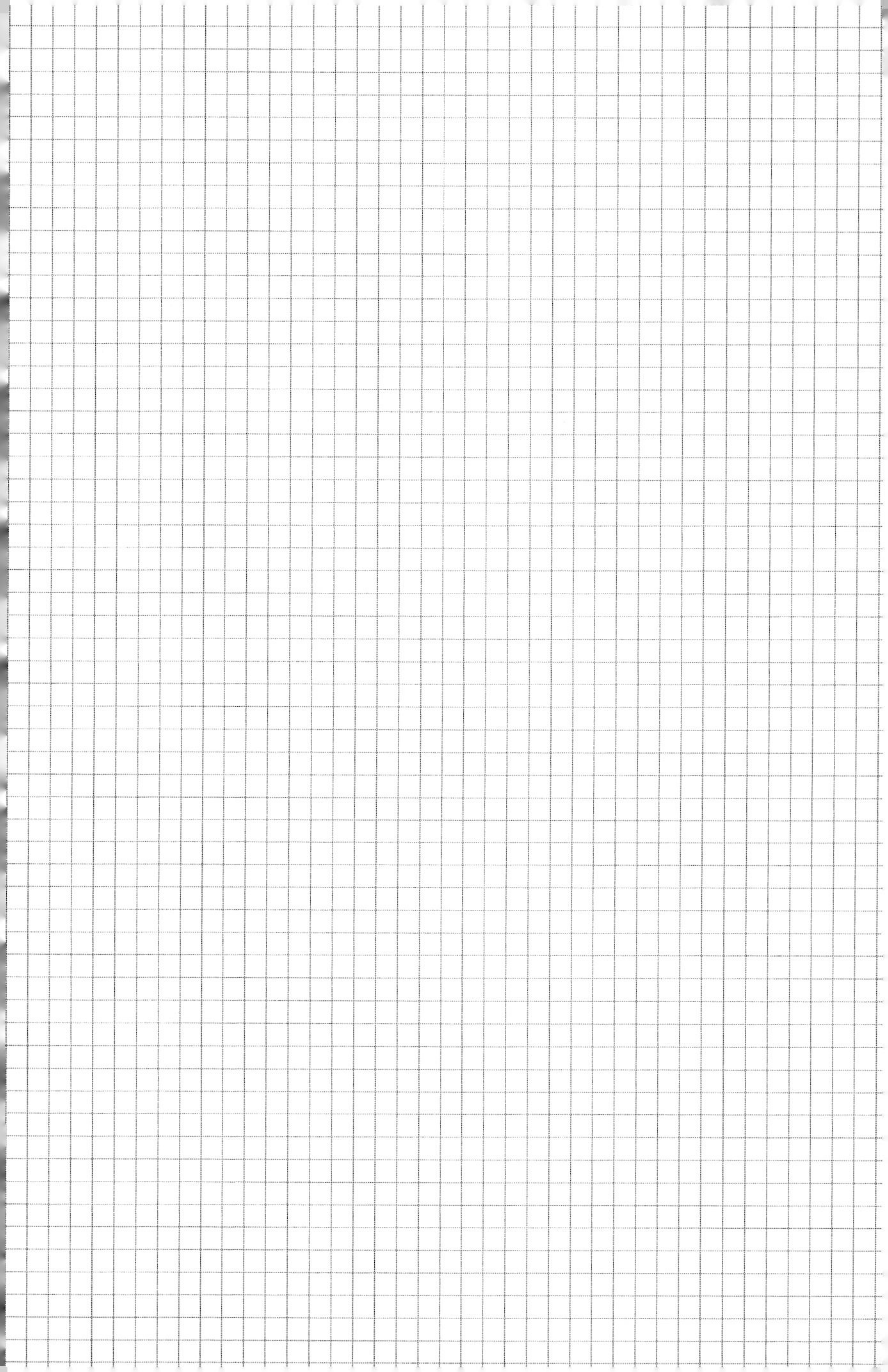

【車輪はつばさ】

南インドのアイラヴァテシュワラ寺院には
建築本体に車輪がついていて
寺院に乗った神さまが
人びとの想いを運ぶと言います

An amazing stone wheel of the Airavatesvara Temple
in the town of Darasuram, near Kumbakonam in the South India

まちごとチャイナ
遼寧省 006

はじめての瀋陽

「マンチュリア」最大の都市へ

［モノクロノートブック版］

「アジア城市（まち）案内」制作委員会
まちごとパブリッシング
http://machigotopub.com

・本書はオンデマンド印刷で作成されています。
・本書の内容に関するご意見、お問い合わせは、発行元の
まちごとパブリッシング info@machigotopub.com までお願いします。

まちごとチャイナ
新版 遼寧省006はじめての瀋陽
～「マンチュリア」最大の都市へ

2020年 8月15日 発行

著 者 「アジア城市（まち）案内」制作委員会
発行者 赤松 耕次
発行所 まちごとパブリッシング株式会社
〒181-0013 東京都三鷹市下連雀4-4-36
URL http://www.machigotopub.com/
発売元 株式会社デジタルパブリッシングサービス
〒162-0812 東京都新宿区西五軒町11-13
清水ビル3F
印刷・製本 株式会社デジタルパブリッシングサービス
URL http://www.d-pub.co.jp/

MP285

ISBN978-4-86143-436-5 C0326 Printed in Japan